W. G.

Ejercicios Espirituales

Ignacio de Loyola

Ejercicios Espirituales

Editorial Claretiana

Ignacio de Loyola, Santo
Ejercicios espirituales. - 1a ed. 4a reimp. - Buenos Aires:
Claretiana, 2009.
192 p. ; 15x11 cm.

ISBN 978-950-512-490-9

1. Espiritualidad. I. Título
CDD 248

Para esta versión se tomó como texto de base el de la *Editorial Edapor, Madrid 1985*

1ª ed. 4ª reimp., agosto de 2009

Diseño de Tapa: *Equipo Editorial*
Con las debidas licencias.

Impreso en la Argentina.

Printed in Argentina.

ISBN 978-950-512-490-9

EDITORIAL CLARETIANA
Lima 1360 – C1138ACD Buenos Aires
República Argentina
Tels. 4305-9510/9597
email: editorial@editorialclaretiana.com.ar
www.editorialclaretiana.com.ar

Introducción

¿Quién fue San Ignacio de Loyola?

En el castillo de Loyola en Azpeitia, hacia 1491, nace Iñigo, el menor de once hermanos. Su familia era de las más importantes y conocidas de la región. En su temprana juventud abrazó la carrera militar, lo que era usual en los muchachos de su ambiente, y luchó contra los franceses en el norte de Castilla. Pero el 20 de mayo de 1521, una bala de cañón le quebró una pierna durante la defensa de Pamplona, por lo que fue enviado a su hogar. Como los huesos de la pierna soldaron mal, los médicos consideraron necesario quebrarlos nuevamente. Iñigo se decidió a favor de la operación que, según la práctica de la época, soportó sin anestesia.

Para distraerse durante la prolongada convalecencia, Iñigo pidió algunos libros de Caballería. Pero lo único que encontraron en el castillo de Loyola fue una historia de Cristo y un volumen de vidas de santos. Iñigo los comenzó a leer para pasar el tiempo, pero poco a poco empezó a interesarse tanto que pasaba días enteros sumergido en la lectura. Y se decía: "Si esos hombres estaban hechos del mismo barro que yo, bien yo puedo hacer lo que ellos hicieron". Lleno de fervor, se proponía ir en peregrinación a un santuario de la Virgen y entrar como hermano lego a un convento de cartujos. Pero tales ideas eran intermitentes, pues su ansia de gloria y su amor por una mujer, lo retenían.

Sin embargo, cuando volvía a abrir el libro de la vida de los santos, comprendía lo superfluo de la gloria humana y presentía que sólo Dios podía satisfacer su corazón. Las fluctuaciones duraron algún tiempo. Esto le permitió observar una diferencia: mientras los pensamientos que procedían de Dios lo dejaban lleno de consuelo, paz y tranquilidad, los pensamientos vanos le procuraban cierto deleite, pero sólo le dejaban amargura y vacío. Veremos más adelante cómo influyeron en su obra estas experiencias.

Un suceso inesperado

La monotonía de su vida de enfermo se ve interrumpida por un hecho extraordinario. Una noche "ve" a la Virgen María, rodeada de luz y llevando en los brazos a Jesús. La visión consoló profundamente a Ignacio. Al terminar la convalecencia, hizo una peregrinación al santuario de Nuestra Señora de Montserrat donde decidió llevar una vida de penitente.

Su propósito era llegar a Tierra Santa y para eso debía embarcarse en Barcelona que está muy cerca de Montserrat. La ciudad se encontraba cerrada por miedo a la peste que azotaba la región. Por lo tanto tuvo que esperar en Manresa, un pueblito cercano. Para orar y hacer penitencia, se retiraba a una cueva de los alrededores. Así vivió durante casi un año.

Se decidió a *"escoger el Camino de Dios, en vez del camino del mundo"* hasta lograr alcanzar la santidad. A las consolaciones de los primeros tiempos sucedió un período de aridez espiritual; ni la oración, ni la penitencia conseguían ahuyentar la sensación de vacío que encontraba en los sacramentos y la tristeza que lo abrumaba. A esto se le añadía una violenta tempestad de escrúpulos que le hacían creer que todo era pecado y lo llevaron al borde de la desesperación. En esa época, Ignacio empezó a anotar algunas experiencias que iban a servirle para el libro de los "Ejercicios Espirituales". Finalmente, salió de aquella noche oscura y el más profundo gozo espiritual sucedió a la tristeza. Aquella experiencia dio a Ignacio una habilidad singular en materia de dirección espiritual.

En viaje

En febrero de 1523, Ignacio por fin partió en peregrinación a Tierra Santa. Pidió limosna en el camino, se embarcó en Barcelona, pasó la Pascua en Roma, tomó otra nave en Venecia con rumbo a Chipre y de ahí se trasladó a Jaffa. Del puerto, a lomo de mula, se dirigió a Jerusalén, donde tenía el firme propósito de establecerse.

Con ardoroso entusiasmo se dedica a evangelizar con el empuje característico de su personalidad, a tal punto que, al poco tiempo, las autoridades encargadas de los Santos Lugares le ordenaron que abandonase Palestina, temerosas de que los mahometanos lo raptaran, enfurecidos por su éxito. Por lo tanto, renunció a su proyecto y obedeció, aunque no tenía la menor idea de lo que iba a hacer al regresar a Europa.

Llegó a su país natal en 1524, donde se dedicó a estudiar, porque "pensaba que eso le serviría para ayudar a las almas". Ignacio tenía entonces treinta y tres años.

Al cabo de dos años de estudios en Barcelona, pasó a la Universidad de Alcalá a estudiar lógica, física y teología; pero la multiplicidad de materias no hizo más que confundirlo, a pesar de que estudiaba noche y día. Se alojaba en un hospicio, vivía de limosna y vestía un áspero hábito gris. Además de estudiar, instruía a los niños, organizaba reuniones de personas espirituales en el hospicio y convertía a numerosos pecadores.

En España había muchas desviaciones de la devoción. Como Ignacio carecía de los estudios y la autoridad para enseñar, fue acusado ante el vicario general del obispo, quien lo tuvo prisionero durante cuarenta y dos días, hasta que, finalmente, absolvió de toda culpa a Ignacio y sus compañeros, pero les prohibió llevar un hábito particular y enseñar durante los tres años siguientes.

Entonces Ignacio se trasladó con sus compañeros a Salamanca. Pero pronto fue nuevamente acusado de introducir doctrinas peligrosas. Después de tres semanas de prisión, los inquisidores lo declararon inocente. Ignacio consideraba la prisión, los sufrimientos y la ignominia como pruebas que Dios le mandaba para purificarlo y santificarlo. Cuando recuperó la libertad, resolvió abandonar España. En pleno invierno, hizo el viaje a París, a donde llegó en febrero de 1528.

Años de estudio

Los dos primeros años los dedicó a perfeccionarse por su cuenta en latín. Durante el verano iba a Flandes y a Inglaterra a pedir limosna a los comerciantes españoles establecidos en esas regiones. Con esa ayuda y la de sus amigos de Barcelona, podía estudiar durante el año. Así pasó tres años y medio dedicado a la filosofía. Indujo a muchos de sus compañeros a practicar con mayor fervor la vida cristiana.

Las palabras fervorosas de Ignacio y la coherencia de su vida resultan atractivas para los que lo conocen. Por aquella época, se unieron a Ignacio otros seis estudiantes de teología: Pedro Fabro, Francisco Javier, Laínez y Salmerón, Simón Rodríguez y Nicolás Bobadilla. Movidos por las exhortaciones de Ignacio, hicieron voto de pobreza, de castidad y de ir a predicar el Evangelio en Palestina, o, si esto último resultaba imposible, de ofrecerse al Papa para que los emplease en el servicio de Dios como mejor lo creyera.

La ceremonia tuvo lugar en una capilla de Montmartre, donde todos recibieron la comunión de manos de Pedro Fabro, quien acababa de ordenarse sacerdote. Era el día de la Asunción de la Virgen de 1534. Ignacio mantuvo entre sus compañeros el fervor, mediante frecuentes conversaciones espirituales y la adopción de una sencilla regla de vida. Poco después, tuvo que interrumpir sus estudios de teología, porque el médico le ordenó que volviera a España, ya que su salud se deterioraba por su austero estilo de vida. Ignacio partió de París, en la primavera de 1535. Su familia lo recibió con gran gozo, pero se negó a habitar en el castillo de Loyola y se hospedó en una pobre casa de Azpeitia.

Primeros pasos

Dos años más tarde, se reunió con sus compañeros en Venecia. Pero la guerra entre venecianos y turcos les impidió embarcarse hacia Palestina. Los compañeros de Ignacio, que ya eran diez, se trasladaron a Roma; Paulo III los recibió muy bien y les concedió a los que todavía no eran sacerdotes el privilegio de recibir el sacerdocio de manos de cualquier obispo.

Como no había ninguna probabilidad de que pudieran trasladarse a Tierra Santa, quedó decidido finalmente que Ignacio, Fabro y Laínez irían a Roma a ofrecer sus servicios al Papa. También resolvieron que, si alguien les preguntaba el nombre de su asociación, responderían que pertenecían a la Compañía de Jesús, nombre que deja entrever el peso que tenía en su personalidad la estructura de la vida militar.

Durante el viaje a Roma, mientras oraba en la capilla de "La Storta", el Señor se apareció a Ignacio, rodeado por un halo de luz inefable, pero cargado con una pesada cruz. Cristo le dijo: "Les seré propicio en Roma". Paulo III nombró al padre Fabro profesor en la Universidad de la Sapienza y confió a Laínez el cargo de explicar la Sagrada Escritura. Por su parte, Ignacio se dedicó a predicar los Ejercicios y a catequizar al pueblo. El resto de sus compañeros trabajaba en forma semejante.

Se establece la Compañía

Con el tiempo, Ignacio y sus compañeros advierten la necesidad de formar una congregación religiosa. A los votos de pobreza y castidad debía añadirse el de obediencia para imitar más de cerca al Hijo de Dios. Además, había que nombrar a un superior general a quien todos obedecerían, el cual ejercería el cargo de por vida y con autoridad absoluta, sujeto en todo a la Santa Sede. A los tres votos arriba mencionados, se agregaría el de ir a evangelizar adondequiera que el Papa lo ordenase. La obligación de cantar en común el oficio divino no existiría en la nueva orden, "para que eso no distraiga de las obras de caridad a las que nos hemos consagrado". No por eso descuidaban la oración que debía tomar al menos una hora diaria.

Ignacio pasó el resto de su vida en Roma, consagrado a la colosal tarea de dirigir la orden que había fundado. Rodríguez y Francisco Javier habían partido a Portugal en 1540. Con la ayuda del rey Juan III, Javier se trasladó a la India, donde empezó a ganar un nuevo mundo para Cristo. Los padres Goncalves y Juan Nuñez Barreto fueron enviados a Marruecos a instruir y asistir a los esclavos cristianos. Otros cuatro misioneros partieron al Congo; algunos más fueron a Etiopía y a las colonias portuguesas de América del Sur.

Durante los quince años que duró su gobierno, la orden aumentó de diez a mil miembros y se extendió en nueve países europeos, en la India y el Brasil. Ignacio murió súbitamente el 31 de julio de 1556. Fue canonizado en 1622, y Pío XI lo proclamó patrono de los ejercicios espirituales y retiros.

¿Cómo era el contexto cultural y espiritual en que vivió?

El siglo XVI y gran parte del XVII representan el apogeo de la cultura española, que adquirió un espléndido desarrollo en el terreno científico, literario, artístico y religioso. Este período de extraordinario brillo cultural, de casi doscientos años, fue tan pujante, y tan profundas sus huellas, que merece con razón el calificativo de Edad de Oro Española.

Esta etapa coincide con el poderío político de España. A la vez que sus ejércitos imponían su hegemonía, la lengua, la literatura, el arte y la fe se difundían por toda Europa y el Nuevo Mundo, alcanzando un valor universal. Pero con el tiempo la decadencia política llevó consigo la decadencia de la cultura, que sufrió un verdadero ocaso a fines del siglo XVII.

El nacimiento de una nueva cultura

Evidentemente, esta etapa de brillo cultural de España no puede explicarse como consecuencia de su influencia política y militar. El movimiento humanístico, que se había iniciado en Italia en el siglo XV, ya estaba en marcha en España, y su influencia es decisiva en las literaturas de estos países.

El Humanismo instaura una actitud que, sin cuestionar, en general, lo religioso, impone el reconocimiento de la autonomía de las ciencias humanas; como consecuencia de esta nueva mentalidad, los humanistas hablan de la dignidad del hombre, independizan la filosofía de la teología y desean que la razón actúe en zonas antes reservadas a la fe revelada.

Características del espíritu humanista

En la mentalidad teocéntrica medieval, el mundo natural y el sobrenatural estaban tan ligados que parecían confundirse (Dios, la Virgen y los santos intervenían directamente en la vida de los hombres, la naturaleza estaba habitada por fuerzas sobrenaturales...). En cambio, la mentalidad antropocéntrica, propia del Humanismo, establece una neta distinción entre aquellas dos naturalezas, entre lo humano y lo divino. Es evidente que no se llegaba al ateísmo: Dios y lo divino quedan, ciertamente, en un plano superior; pero el plano de lo humano adquiere un valor por sí mismo. El hombre humanista desea salvar su alma, pero sin que ello le impida gozar de los sentidos, amar a las criaturas, investigar la naturaleza o procurarse fama, honores y gloria.

De lo dicho derivan los rasgos esenciales del espíritu renacentista:

1) El centro de interés del hombre es el propio hombre: se exalta todo lo humano y se aspira al desarrollo armónico del individuo (ideal del hombre completo, hombre de armas y de letras, cortesano...). A esto se une un marcado vitalismo y un apego a lo mundano.

2) Frente a la mentalidad teocéntrica medieval, según la cual Dios había asignado a cada hombre, rico o pobre, su lugar en la sociedad, ahora se considera legítimo que el hombre luche por labrarse una vida mejor y prosperar, lo cual se opone al inmovilismo de la vieja sociedad estamental.

3) El convencimiento de la dignidad del hombre lleva a afirmar que "el hombre es la medida de todas las cosas" y que, a su medida, puede organizarse armónicamente el mundo. En este momento, por ejemplo, encontramos en germen el ideal de una sociedad justa.

4) Se tiene confianza en el poder de la razón para explicar el universo y conocer la verdad, incluso en campos antes reservados a la fe. De ahí el sentido crítico; la curiosidad que lleva a los descubrimientos y a los avances de la ciencia.

5) A todo esto se añade una nueva valoración de la Naturaleza, que se concibe llena de bellezas que serán fuente de contemplación, de goce y de inspiración.

El Renacimiento en España

El Renacimiento español presenta rasgos propios, que responden a las siguientes circunstancias:

a) En la cultura española del siglo XVI, el peso del espíritu burgués es menor que el de la aristocracia y el clero.

b) Pasada la apertura inicial de Carlos I, la cultura vuelve a manos del clero, se fomenta la religiosidad tradicional y se combaten las nuevas formas de vivir la religión.

c) Paralelamente, se pone freno al desarrollo de la ciencia y de la filosofía racional.

En resumen, podría decirse que el Renacimiento pleno -tal como se desarrolló en Europa- en España es un breve momento de equilibrio inestable. Eso no impide que el XVI sea un siglo espléndido de creación artística en todos los órdenes, y especialmente en la literatura y la espiritualidad.

El contexto eclesial

Si bien el siglo XIV se abre con la proclamación de un "Año santo", el jubileo del año 1300, no fue el comienzo de un tiempo positivo para la Iglesia. A la muerte de Bonifacio VIII (1303) se inician cambios sustanciales: distintas situaciones escandalosas, el cisma de Occidente (1378-1447), el nacimiento del espíritu laicista del que ya hemos hablado antes y, por lo tanto, el ocaso de la concepción sacral de la autoridad de la Iglesia, el enfeudamiento secular y pagano del papado durante el Renacimiento (1441-1517). Este período culmina con las Reformas de Lutero (1517), Calvino y Enrique VIII. Ni siquiera el Concilio de Trento pudo rehacer la unidad rota y es en este período cuando se consuma la existencia de diferentes Iglesias, teologías y espiritualidades, entre ellas, la de Ignacio de Loyola.

Aunque aparentemente ya estaba todo dicho, los teólogos y los místicos profundizan el tema de la contemplación, de la geografía mística del alma, de la unión transformadora, de los últimos grados de la mística, los "estados" de la conciencia analizados no como indagación psicoanalítica, sino como lugar de encuentro con la divinidad, los "fenómenos místicos", las reglas del discernimiento espiritual. El lenguaje se renueva, se hace más popular, ya que los místicos escribirán sus experiencias en sus propios idiomas.

En España, concretamente, la espiritualidad cristiana se sitúa en un lugar privilegiado, como heredera, por una parte, de la rica herencia medieval, y, por otra, con una mirada puesta hacia la modernidad y el futuro, llena de creatividad y dinamismo.

Ejemplo de esto fueron los planes de reforma. El siglo XV estuvo plagado de reformas entre las Órdenes religiosas que comenzaban por pequeños núcleos o casas y derivaban en las Congregaciones de observancia. De los Reyes Católicos la reforma recibe impulsos decisivos entre el clero secular, el regular y el mismo pueblo.

Las obras espirituales de la época rescatan, gracias a la *Devotio moderna*, las tres vías de la vida espiritual: purgativa, iluminativa y unitiva. También se recuperan el valor del silencio, el ejercicio ascético, la soledad y la contemplación. De esta nueva sensibilidad surgieron comunidades orantes que practicaron la oración de recogimiento, cuyo mejor ejemplo lo encontramos en santa Teresa de Jesús. Según los métodos de oración de la época, la preparación a la contemplación se realizaba a través de oraciones y jaculatorias hasta llegar a la oración de quietud mística que, en realidad, no es fruto del esfuerzo humano sino que Dios la da como regalo. Era una contemplación de fuerte tonalidad afectiva.

En la segunda mitad del siglo XVI la producción espiritual española supera los límites geográficos de la península y llega a la cumbre de su expresión. En este sentido, podemos decir que la espiritualidad se hace más popular y universal, pero también tenemos que reconocer que lo hace en un clima de temor, ya que la Inquisición vigila de cerca la piedad y la depura, muchas veces, exageradamente.

¿Cuál es el mensaje espiritual de San Ignacio de Loyola?

Las características principales de la espiritualidad ignaciana, además del amor a Dios y del seguimiento personal de Jesucristo, comunes a todas las espiritualidades de origen cristiano, son las siguientes:

1. Buscar y hallar la voluntad de Dios sobre mi vida -no lo más perfecto objetivamente, sino lo que Dios quiere de mí-.
2. Encontrar esa voluntad en mi deseo más profundo y *decidir* en consecuencia.
3. Ensanchar el corazón hacia las dimensiones del universo, pero aterrizando en lo concreto para no perderme en vaguedades o en ideales irrealizables.
4. Conocer mi realidad lo mejor posible, examinándome periódicamente, tanto en lo positivo para darle gracias a Dios, como en lo negativo para superarlo con su ayuda.
5. Discernir, a la luz de la oración y de la razón iluminada por la fe, cómo puedo mejorar mi realidad para hacerla más acorde con el Evangelio de Jesucristo.
6. Encontrar a Dios en todo lo creado, siendo contemplativo en la acción, unido a El en todo lo que hago.

Una de las obras más famosas y fecundas de Ignacio fue el libro de los Ejercicios Espirituales. Es la obra maestra de la ciencia del discernimiento. Los Ejercicios cuadran perfectamente con la tradición de santidad de la Iglesia. En efecto, desde los primeros tiempos, hubo cristianos que se retiraron del mundo para servir a Dios, y la práctica de la meditación es tan antigua como la Iglesia. Lo nuevo en el libro de San Ignacio es el orden y el sistema de las meditaciones. Si bien las principales reglas y consejos que da el santo se hallan diseminados en las obras de los Padres de la Iglesia, Ignacio tuvo el mérito de ordenarlos metódicamente y de formularlos con perfecta claridad.

El libro de los Ejercicios no es una obra para leer, sino para poner en práctica; es un método de oración sistemático y progresivo para llevar a una conversión del corazón a Dios. La conversión supone una elección, una "opción fundamental". Las veinte Reglas que preceden a los ejercicios de las cuatro semanas son una suma de sabiduría espiritual. Aun así, los Ejercicios no son para aprender nada nuevo, sino para suscitar una experiencia religiosa que mueva a la acción.

Articulados en cuatro semanas, significan la serie de actos interiores con los que el ejercitante vence sus propios desórdenes (pecados), se enamora de Cristo, opta por él y su tarea salvadora, hasta culminar en la asimilación de la pasión, muerte y resurrección.

¿Qué nos dice Ignacio a nosotros hoy?

La espiritualidad ignaciana parte del concepto de que lo que realmente vale la pena es poner la propia existencia, todo lo que somos y poseemos en la dirección del mejor y mayor servicio a Dios.

Se trata esencialmente de una espiritualidad de oración y acción. Parte de la constatación de que la vida humana solo tiene orientación y significado cuando nuestro mundo y nuestra historia están animados por el Espíritu de Dios. De ahí que la vocación ignaciana sea desarrollar en este mundo inconcluso proyectos de humanización, que colaboren con la labor creadora de Dios. Para ello debemos desarrollar y usar los dones que Dios nos ha ofrecido gratuitamente, "nuestro haber y poseer".

En este sentido la espiritualidad ignaciana es una fe con fuerte acento práctico en la justicia, la equidad, la paz y la reconciliación: donde los amores verdaderos son siempre demostrados con hechos, y los medios humanos ponen la confianza en Dios.

Esta espiritualidad da una gran importancia a la libertad humana, a la acción y al trabajo entendido como actividad transformadora. La mirada positiva acerca del mundo como creación y obra de Dios, de la razón y de los sentimientos, da también énfasis a la excelencia humana. Podría decirse que el gran mérito de los Ejercicios es aportar un método que descubre la energía de los deseos y el juego de la subjetividad como espacio de revelación del Espíritu, dando un lugar central al discernimiento permanente de la voluntad de Dios.

Claves para comprender hoy, el lenguaje de Ignacio

Dado que el español utilizado por Ignacio, por razones obvias, no es el mismo que el del siglo XXI, la versión que presentamos incluye las correspondientes adaptaciones de estilo. En este sentido, nos parece útil aportar algunas claves para contextuar culturalmente ciertos conceptos ignacianos:

Es común que en los Ejercicios se hable de las "almas" para referirse a lo que actualmente llamamos el "hombre". Hoy la Iglesia nos enseña que no podemos tomar "alma" y "cuerpo" como dos realidades separadas, y mucho menos, en conflicto. La dimensión corporal es tan necesaria como la espiritual para hablar de un ser humano. De hecho, la expresión "tengo cuerpo" es confusa; deberíamos decir, en todo caso, "soy mi cuerpo".

En esta línea, es necesario comprender que las expresiones referidas a las prácticas ascéticas corporales están teñidas del color propio de aquella cultura. Encontramos un ejemplo en el nº 85, donde se recomiendan diversos modos de "castigar la carne" como una de las formas de la penitencia externa. Se puede apreciar con claridad cómo se refiere a "la carne" como a un sujeto distinto de la persona.

Parejo criterio debe aplicarse en lo que se refiere al vocabulario, que a veces puede sorprender por su aspereza. Un lector desprevenido podría pensar que el acento está puesto en el esfuerzo personal por no pecar, antes que en el conocimiento del Amor de Dios.

En tiempos de Ignacio, era común hablar de la vida religiosa como de un estado más perfecto (véase, por ejemplo, el nº 356). Hoy la Iglesia nos enseña que la multiplicidad de vocaciones (laical, sacerdotal, las distintas formas de la vida consagrada) no implica superioridad de unas sobre otras. La vocación es la unión de las dos voluntades, la humana y la divina, en la elección de un proyecto de vida. Objetivamente, entonces, es incorrecto atribuir a una vocación una calidad superior, como si el resto fuera "de segunda". Es lo que San Ignacio aclara en el nº 15 al señalar, en otras palabras, que lo importante es buscar y hallar la voluntad de Dios que se expresa en el deseo más profundo del propio corazón.

Ejercicios Espirituales

1 ANOTACIONES PARA ENTENDER ALGO LOS EJERCICIOS ESPIRITUALES SIGUIENTES, Y PARA AYUDARSE ASÍ EL QUE LOS HA DE DAR, COMO EL QUE LOS HA DE RECIBIR.

1ª La primera anotación es que por este nombre de ejercicios espirituales se entiende todo modo de examinar la conciencia, de meditar, de contemplar, de orar vocal y mentalmente, y de otras actividades espirituales, según adelante se dirá. Porque así como el pasear, caminar y correr son ejercicios corporales, de la misma manera, todo modo de preparar y disponer el alma para quitar de sí todas las afecciones desordenadas, y después de quitadas buscar y hallar la voluntad divina en la disposición de su vida para la salud del alma, se llaman ejercicios espirituales.

2 **2ª** La segunda es que la persona que da a otro el modo y orden de meditar o contemplar, debe narrar fielmente la historia de dicha contemplación o meditación, recorriendo solamente los puntos con breve o sumaria explicación; porque si la persona que contempla, toma el fundamento verdadero de la historia, y discurre por sí misma y halla alguna cosa que explique o haga sentir un

poco más la historia (bien sea por el razonamiento propio, o bien en cuanto el entendimiento es esclarecido por la ayuda divina), es de más gusto y fruto espiritual, que si el que da los ejercicios hubiese declarado y ampliado mucho el sentido de la historia; porque no el mucho saber harta y satisface al alma, sino el sentir y gustar las cosas internamente.

3 **3ª** La tercera: como en todos los ejercicios espirituales usamos de los actos del entendimiento discurriendo y de los de la voluntad ejercitando el afecto, advirtamos que en los de la voluntad, cuando hablamos vocal o mentalmente con Dios nuestro Señor o con sus santos, se requiere de nuestra parte mayor reverencia, que cuando usamos del entendimiento entendiendo.

4 **4ª** La cuarta: aunque para los ejercicios siguientes se toman cuatro semanas, por corresponder a cuatro partes en que se dividen los ejercicios (es a saber: la primera, que es la consideración y contemplación de los pecados; la segunda es la vida de Cristo nuestro Señor hasta el día de Ramos inclusive; la tercera la Pasión de Cristo nuestro Señor, y la cuarta la Resurrección y Ascensión con tres modos de orar), sin embargo

no se entienda que cada semana tenga por necesidad siete u ocho días. Porque, como sucede que en la primera semana unos tardan más en hallar lo que buscan, es a saber, contrición, dolor, lágrimas por sus pecados; asimismo, como unos son más diligentes que otros en los ejercicios y son más agitados o probados de diversos espíritus, se requiere algunas veces acortar la semana y otras veces alargarla; y así en todas las otras semanas siguientes, tomando unas cosas u otras según la materia correspondiente; pero poco más o menos se acabará en treinta días.

5 **5ª** La quinta: al que recibe los ejercicios mucho aprovecha entrar en ellos con gran ánimo y liberalidad con su Creador y Señor, ofreciéndole todo su querer y libertad para que su divina majestad, así de su persona como de todo lo que tiene, se sirva conforme a su santísima voluntad.

6 **6ª** La sexta: el que da los ejercicios, cuando siente que al que se ejercita no le vienen algunas mociones espirituales en su alma (por ejemplo consolaciones o desolaciones) ni es agitado de varios espíritus, mucho le debe interrogar acerca de los ejercicios, si los hace a sus tiempos señalados, y cómo; asimismo de las adiciones, si las hace con

diligencia, pidiendo cuenta en particular de cada cosa de éstas. (Se habla de consolación y desolación en los nn. 316 y 317; de adiciones en los nn. 73-90.)

7 **7ª** La séptima: el que da los ejercicios, si ve al que los recibe que está desolado y tentado, no se muestre con él duro ni desabrido, sino blando y suave, dándole ánimo y fuerzas para adelante, y descubriéndole las astucias del enemigo de la naturaleza humana, y haciéndole prepararse y disponerse para la consolación venidera.

8 **8ª** La octava: el que da los ejercicios, según la necesidad que sintiere en el que los recibe acerca de las desolaciones y astucias del enemigo, y también acerca de las consolaciones, podrá hablarle de las reglas de la primera y segunda semanas, que son para conocer varios espíritus (nn. 316-324, 328-336).

9 **9ª** La novena: es de advertir que, cuando el que se ejercita anda en los ejercicios de la primera semana, si es persona no versada en cosas espirituales y si es tentado grosera y abiertamente (por ejemplo, si se le representan impedimentos para ir adelante en servicio de Dios nuestro Señor, como son trabajos, vergüenza y temor por

la honra del mundo, etc.), el que da los ejercicios no le explique las reglas de varios espíritus de la segunda semana, por ser materia más sutil y más subida de lo que podrá entender.

10 **10ª** La décima: cuando el que da los ejercicios ve al que los recibe combatido y tentado bajo apariencia de bien, entonces es momento apropiado para hablarle de las reglas ya dichas de la segunda semana. Porque comúnmente el enemigo de naturaleza humana tienta más bajo apariencia de bien cuando la persona se ejercita en la vida iluminativa, que corresponde a los ejercicios de la segunda semana, y no tanto en la vida purgativa, que corresponde a los ejercicios de la primera semana.

11 **11ª** La undécima: al que toma ejercicios en la primera semana aprovecha que no sepa cosa alguna de lo que ha de hacer en la segunda semana; sino que de tal modo trabaje en la primera, para alcanzar lo que busca, como si en la segunda ninguna cosa buena esperase hallar.

12 **12ª** La duodécima: el que da los ejercicios ha de advertir mucho al que los recibe que, como en cada uno de los cinco ejercicios o contemplaciones que se harán cada día, ha de estar por una

hora, de hecho procure siempre que el ánimo quede satisfecho en pensar que ha estado una entera hora en el ejercicio, y antes más que menos. Porque el enemigo no poco suele procurar que se acorte la hora de dicha contemplación, meditación u oración.

13 **13ª** La decimotercera: asimismo es de advertir que, como en el tiempo de la consolación es fácil y suave estar en la contemplación la hora entera, así en el tiempo de la desolación es muy difícil cumplirla. Por tanto la persona que se ejercita, para hacer contra la desolación y vencer las tentaciones, debe siempre estar algún tiempo más de la hora cumplida; porque no sólo se acostumbre a resistir al adversario, sino incluso a derrocarle.

14 **14ª** La decimocuarta: el que los da, si ve al que los recibe que anda consolado y con mucho fervor, debe prevenir que no haga promesa ni voto alguno inconsiderado y precipitado; y cuanto más le conociere que es de carácter ligero, tanto más le debe prevenir y amonestar. Porque, aunque justamente puede mover uno a otro a entrar en la vida religiosa, en la que obviamente se hace voto de obediencia, pobreza y castidad, y aunque la buena obra que se hace con voto es más meritoria que la que se hace sin él, mucho se debe mirar el carácter y disposición de la persona, y cuánta ayuda o estorbo podrá hallar en cumplir la cosa que quisiera prometer.

15 **15ª** La decimoquinta: el que da los ejercicios no debe mover al que los recibe más a pobreza ni a hacer una promesa que a sus contrarios, ni a un estado o modo de vivir más que a otro. Porque, aunque fuera de los ejercicios lícita y meritoriamente podamos mover a toda persona que probablemente tenga capacidad a elegir continencia, virginidad, entrar en la vida religiosa y cualquier manera de vivir la perfección evangélica, sin embargo en los tales ejercicios espirituales, es más conveniente y mucho mejor, al buscar la divina voluntad, que el mismo Creador y Señor se comunique al alma devota suya, abrazándola en su amor y alabanza, y disponiéndola para el modo de vivir en que mejor podrá servirle en adelante. De manera que el que los da no se decante ni se incline a una parte ni a otra, sino estando en medio, como el fiel de la balanza, deje obrar, sin intermediario, al Creador con la criatura y a ésta con su Creador y Señor.

16 **16ª** La decimosexta: para lo cual (es a saber, para que el Creador y Señor obre más ciertamente en su criatura), si por ventura esa alma siente afecto e inclinación a una cosa desordenadamente, es muy conveniente moverse, poniendo todas sus fuerzas, para venir a lo contrario de aquel afecto desordenado; por ejemplo, si está interesada en buscar y tener un oficio o beneficio eclesiástico no por el honor y gloria de Dios nuestro Señor ni por la salud espiritual de las almas, sino por sus propios provechos e intereses temporales, debe aficionarse a lo contrario, instando en oraciones y otros ejercicios espirituales, y pidiendo a Dios nuestro Señor lo contrario, es a saber, que no quiere el tal oficio o beneficio, ni otra cosa alguna, si su divina majestad, ordenándole sus deseos, no le mudare el afecto que primero sentía. De manera que la causa de desear o tener una cosa u otra sea sólo el servicio, honra y gloria de su divina majestad.

17 **17ª** La decimoséptima: mucho aprovecha, que el que da los ejercicios, sin querer preguntar ni saber los propios pensamientos ni pecados del que los recibe, sea informado fielmente de las varias agitaciones y pensamientos, que los varios espíritus

le traen; porque según el grado mayor o menor de aprovechamiento le puede dar algunos ejercicios espirituales convenientes y conformes a la necesidad de dicha alma agitada así de los varios espíritus.

18 **18ª** La decimoctava: según sea la disposición de las personas que quieren tomar ejercicios espirituales, es a saber, según la edad, cultura o talento que tengan, se han de aplicar los tales ejercicios; porque a quien está poco cultivado y es débil de complexión no deben darse cosas que no pueda descansadamente llevar, y aprovecharse con ellas. Asimismo, se debe de dar a cada uno según la disposición a la que quiera llegar para que se pueda ayudar y aprovechar más de los ejercicios.

Por tanto, al que se quiera ayudar de ellos para instruirse y llegar a contentar su alma hasta cierto grado, se le puede dar el examen particular (n. 24) y después el examen general (n. 32); y juntamente, por media hora a la mañana, el modo de orar sobre los mandamientos, pecados capitales, etc. (n. 238), recomendándole también la confesión de sus pecados de ocho en ocho días; y si puede, la comunión de quince en quince días, y si aspira a más, de ocho en ocho. Esta manera es más propia para personas más rudas o sin cultura, explicándoles cada mandamiento y cada uno de los pecados capitales, preceptos de la Iglesia, cinco sentidos, y obras de misericordia.

Asimismo, si el que da los ejercicios viere al que los recibe que es poco idóneo o de poca capacidad natural, de quien no se espera mucho fruto, es más conveniente darle algunos de estos ejercicios leves hasta que se confiese de sus pecados; y después, dándole algunos exámenes de conciencia y orden de confesar más a menudo que solía para conservarse en lo que ha ganado, no proceder adelante en materias de elección, ni en ningún otro ejercicio de los que están fuera de la primera semana; mayormente cuando en otros se puede hacer mayor provecho y falta tiempo para todo.

19 **19ª** Decimonovena: al que estuviere demasiado ocupado en asuntos de gobierno o negocios convenientes, si es culto o de talento, tomando una hora y media para ejercitarse, hablándole de para qué es el hombre creado, se le puede dar asimismo por espacio de media hora el examen particular, y después el mismo general, y modo de confesar y comulgar; haciendo tres días cada mañana por espacio de una hora la meditación del primero, segundo y tercer pecado (n. 45); después otros tres

días, a la misma hora la meditación del proceso de los pecados (n. 55); después, por otros tres haga la meditación de las penas que corresponden a los pecados (n. 65); y se le darán en las tres meditaciones las diez adiciones (n. 73), siguiendo en los misterios de Cristo nuestro Señor el mismo modo de proceder que se declara más adelante a lo largo de los mismos Ejercicios.

20 **20ª** La vigésima: al que está más desocupado y en todo lo posible desea aprovechar, dénsele todos los ejercicios espirituales por el mismo orden que siguen; en los cuales ordinariamente tanto más se aprovechará, cuanto más se apartare de todos los amigos y conocidos y de toda solicitud terrena, así como dejando la casa donde moraba y tomando otra casa o habitación, para habitar en ella cuanto más secretamente pudiere; de manera que esté en su mano ir cada día a misa y a vísperas, sin temor de que sus conocidos le pongan impedimento.

De ese retiro se siguen tres provechos principales, entre otros muchos. El primero es que, al apartarse uno de muchos amigos y conocidos, y asimismo de muchos negocios no bien ordenados, por servir y alabar a Dios nuestro Señor, no poco merece delante de su divina majestad. El segundo, que al estar así apartado, y no tener el entendimiento dividido en muchas cosas, sino poniendo todo el cuidado en sólo una, es a saber, en servir a su Creador, y aprovechar a su propia alma, usa de sus potencias naturales más libremente, para buscar con diligencia lo que tanto desea. El tercero, que cuanto más nuestra alma se halla sola y apartada, se hace más apta para acercarse y allegarse a su Creador y Señor; y cuanto más así se allega, más se dispone para recibir gracias y dones espirituales de su divina y suma bondad.

21 EJERCICIOS ESPIRITUALES PARA VENCER A SÍ MISMO Y ORDENAR SU VIDA, SIN DETERMINARSE POR AFECCIÓN ALGUNA QUE DESORDENADA SEA.

PRESUPUESTO

22 Para que así el que da los ejercicios espirituales como el que los recibe se ayuden más y saquen más provecho, se ha de presuponer que todo buen cristiano ha de estar más dispuesto a salvar la proposición del prójimo que a condenarla; y si no la puede salvar, pregunte cómo la entiende, y si la entiende mal corríjale con amor; y si no basta, busque todos los medios convenientes para que, entendiéndola bien, se salve.

PRIMERA SEMANA

23 **Principio y Fundamento.**

El hombre es creado para alabar, hacer reverencia y servir a Dios nuestro Señor y, mediante esto salvar su alma; y las otras cosas sobre la faz de la tierra son creadas para el hombre y para que le ayuden a conseguir el fin para que es creado. De donde se sigue que el hombre tanto ha de usar de ellas cuanto le ayuden para su fin, y tanto debe privarse de ellas cuanto para ello le impiden. Por lo cual es menester hacernos indiferentes a todas las cosas creadas, en todo lo que cae bajo la libre determinación de nuestra libertad y no le está prohibido; en tal manera, que no queramos, de nuestra parte, más salud que enfermedad, riqueza que pobreza, honor que deshonor, vida larga que corta, y así en todo lo demás, solamente deseando y eligiendo lo que más nos conduce al fin para el que somos creados.

24 EXAMEN PARTICULAR Y COTIDIANO: CONTIENE TRES TIEMPOS, Y EXAMINARSE DOS VECES.

El primer tiempo es que a la mañana, nada más levantarse, debe uno proponer guardarse con diligencia de aquel pecado particular o defecto del que se quiere corregir y enmendar.

25 El segundo, después de comer, pedir a Dios nuestro Señor lo que uno quiere, es a saber: gracia para acordarse de cuántas veces a caído en aquel pecado particular o defecto, y para enmendarse en adelante; y a continuación haga el primer examen, pidiendo cuenta a su alma de aquella cosa propuesta y particular de la cual se quiere corregir y enmendar, recorriendo de hora en hora o de tiempo en tiempo, comenzando desde la hora en que se levantó hasta la hora y punto del examen presente; y haga en la primera línea de la g = tantos puntos cuantas veces a incurrido en aquel pecado particular o defecto; y después proponga de nuevo de enmendarse, hasta el segundo examen que hará.

26 El tercer tiempo, después de cenar se hará el segundo examen, asimismo de hora en hora, comenzando desde el primer examen hasta el segundo presente, y haga en la segunda línea de la misma g = tantos puntos cuantas veces ha incurrido en aquel particular pecado o defecto.

27 SÍGUENSE CUATRO ADICIONES PARA QUITAR MÁS PRONTO AQUEL PECADO O DEFECTO PARTICULAR.

1ª La primera adición es: que cada vez que uno cae en aquel pecado o defecto particular ponga la mano en el pecho doliéndose de haber caído; lo que se puede hacer aun delante muchos, sin que se den cuenta de lo que hace.

28 **2ª** La segunda: como la primera línea de la g = significa el primer examen, y la segunda línea el segundo examen, mire a la noche si hay enmienda de la primera línea a la segunda, es a saber, del primer examen al segundo.

29 **3ª** La tercera: comparar el segundo día con el primero, es a saber, los dos exámenes del día presente con los otros dos exámenes del día pasado, y mirar si de un día para otro se ha enmendado.

30 **4ª** La cuarta adición: comparar una semana con otra, y mirar si se ha enmendado en la semana presente respecto de la anterior.

31 **Nota.** Es de notar, que la primera G = grande que sigue se refiere al domingo, la segunda más pequeña al lunes, la tercera al martes y así sucesivamente.

G ______________________________

____

g ______________________________

____

g ______________________________

____

g ______________________________

____

g ______________________________

____

g ______________________________

____

g ______________________________

____

32 EXAMEN GENERAL DE CONCIENCIA PARA LIMPIAR EL ALMA Y PARA CONFESARSE MEJOR.

Presupongo que hay tres pensamientos en mí, es a saber: uno propio mío, el cual sale de mi propia libertad y querer, y otros dos que vienen de fuera, uno que viene del buen espíritu y otro del malo.

33 **Del Pensamiento.**

Hay dos maneras de merecer en el mal pensamiento que viene de fuera.

1ª Por ejemplo, viene un pensamiento de cometer un pecado mortal, pero a ese pensamiento lo resisto al instante y queda vencido.

34 **2ª** La segunda manera de merecer es cuando me viene aquel mismo mal pensamiento, y yo le resisto, y vuelve a venirme otra y otra vez, y yo siempre resisto, hasta que el pensamiento se va vencido; y esta segunda manera es de más mérito que la primera.

35 Venialmente se peca cuando viene el mismo pensamiento de pecar mortalmente, y uno le da entrada deteniéndose en algo, o recibiendo algún gusto sensible; o cuando hay alguna negligencia en rechazar ese pensamiento.

36 Hay dos maneras de pecar mortalmente:

1ª La primera es cuando uno consiente en el mal pensamiento, para obrar luego como ha consentido, o para ponerlo en obra si pudiese.

37 **2ª** La segunda manera de pecar mortalmente es cuando se pone en obra aquel pecado; y es mayor por tres razones: la primera por el mayor tiempo, la segunda por la mayor intensidad, la tercera por el mayor daño de las dos personas.

38 **De Palabra.**

No jurar ni por el Creador ni por una criatura, si no fuere con verdad, necesidad y reverencia. Entiendo "necesidad", no cuando se afirma con juramento cualquier verdad, sino cuando es de alguna importancia para el provecho del alma o del cuerpo o de bienes temporales. Entiendo "reverencia", cuando, al nombrar a su Creador y Señor, considerando lo que se hace, se le rinde el honor y reverencia debida.

39 Es de advertir que, aunque en el juramento sin necesidad pecamos más jurando por el Creador que por la criatura, es más difícil jurar debidamente con verdad, necesidad y reverencia por la criatura que por el Creador, por las razones siguientes:

1ª La primera, cuando nosotros queremos jurar por alguna criatura, el nombrar la criatura no nos hace estar tan atentos ni advertidos para decir la verdad, o para afirmarla con necesidad, como en el nombrar al Señor y Creador de todas las cosas.

2ª La segunda es que en el jurar por la criatura no es tan fácil mostrar reverencia y acatamiento al Creador, como al jurar y nombrar al mismo Creador y Señor; porque el hecho de nombrar a Dios nuestro Señor lleva consigo más acatamiento y reverencia que el nombrar la cosa criada. Por tanto, a los perfectos les está más permitido jurar por la criatura que a los imperfectos; porque los perfectos, por la asidua contemplación e iluminación del entendimiento, consideran, meditan y contemplan más que está Dios nuestro Señor en cada criatura, según su propia esencia, presencia y potencia; y así, al jurar por la criatura, están más preparados y dispuestos que los imperfectos para mostrar acatamiento y reverencia a su Creador y Señor.

3ª La tercera es que en el asiduo jurar por la criatura se ha de temer más la idolatría en los imperfectos que en los perfectos.

40 No decir palabra ociosa; entiendo por tal la que ni a mí ni a otro aprovecha, ni se dice con intención de aprovechar. De suerte que nunca es ocioso hablar de cualquier cosa provechosa, o con intención de que aproveche al alma propia o ajena, al cuerpo o a bienes temporales; ni el hablar alguno cosas que están fuera de su estado, así como si un religioso habla de guerras o mercancías. Pero en todo lo que está dicho hay mérito en ordenar a buen fin el hablar, y pecado en hacerlo por mal fin, o sin provecho alguno.

41 No decir nada que sea infamar o murmurar; porque si descubro pecado mortal que no sea público, peco mortalmente; si venial, venialmente; y si defecto, muestro defecto propio. Y si se tiene intención recta, de dos maneras se puede hablar del pecado o falta de otro.

1ª La primera manera cuando el pecado es público, por ejemplo, hablar de una meretriz pública o de una sentencia dada en juicio; o de un público error, que envenena a las almas a las que llega.

2ª Segunda, cuando el pecado oculto se descubre a alguna persona, para que ayude a levantarse al que está en pecado; pero hay que tener algunas conjeturas o razones probables de que le podrá ayudar.

42 **De La Obra.**

Tomando por tema los diez mandamientos y los preceptos de la Iglesia y recomendaciones de los superiores, todo lo que se pone en obra contra alguna de estas tres cosas, según su mayor o menor importancia, es mayor o menor pecado. Entiendo recomendaciones de superiores cosas como bulas de cruzadas y otras indulgencias, como por jubileos, confesando y tomando el santísimo Sacramento. Porque no poco se peca entonces en actuar o ser causa de que otros actúen contra tan pías exhortaciones y recomendaciones de nuestros mayores.

43 MODO DE HACER EL EXAMEN GENERAL. CONTIENE CINCO PUNTOS.

1º El primer punto es dar gracias a Dios nuestro Señor por los beneficios recibidos.

2º El segundo, pedir gracia para conocer los pecados, y rechazarlos.

3º El tercero, pedir cuenta al alma desde la hora de levantarse hasta el examen presente, de hora en hora o de tiempo en tiempo; y primero del pensamiento, después de la palabra, y después de la obra, siguiendo el mismo orden que se dijo en el examen particular.

4º El cuarto, pedir perdón a Dios nuestro Señor de las faltas.

5º El quinto: proponer enmienda con su gracia. Decir un Padrenuestro.

44 CONFESIÓN GENERAL CON LA COMUNIÓN.

En la confesión general, para quien voluntariamente la quisiere hacer, entre otros muchos se hallarán tres provechos en hacerla durante los ejercicios.

1º El primero: aunque quien se confiesa cada año no está obligado a hacer confesión general, haciéndola tiene mayor provecho y mérito, por el mayor dolor actual de todos los pecados y las faltas deliberadas de toda su vida.

2º El segundo: como en los tales ejercicios espirituales se conocen los pecados y la malicia de ellos más profundamente que en el tiempo en que uno no se daba así a las cosas internas, por alcanzar ahora más conocimiento y dolor de ellos, tendrá mayor provecho y mérito que antes tuviera.

3º El tercero es, finalmente, que estando mejor confesado y dispuesto, se halla más preparado y en mejores condiciones para recibir el santísimo Sacramento, cuya recepción no solamente ayuda para que no caiga en pecado, sino también para conservarse en gracia y aumentarla. Dicha confesión general se hará mejor inmediatamente después de los ejercicios de la primera semana.

45 *PRIMER EJERCICIO: MEDITACIÓN CON LAS TRES POTENCIAS SOBRE EL 1º, 2º Y 3º PECADO; CONTIENE, DESPUÉS DE UNA ORACIÓN PREPARATORIA Y DOS PREÁMBULOS, TRES PUNTOS PRINCIPALES Y UN COLOQUIO.*

46 **Oración.** La oración preparatoria es pedir gracia a Dios nuestro Señor, para que todas mis intenciones, acciones y operaciones se ordenen puramente al servicio y alabanza de su divina majestad.

47 **Primer preámbulo.** El primer preámbulo es la composición de lugar. Aquí es de notar que en la contemplación o meditación visible (como es contemplar a Cristo nuestro Señor, el cual es visible) la composición será ver con la vista de la imaginación el lugar material donde se halla la cosa que quiero contemplar. Digo el lugar ma-

terial, por ejemplo un templo o monte donde se halla Jesucristo o Nuestra Señora, según lo que quiero contemplar. En la invisible (como aquí, tratando este ejercicio de los pecados) la composición será ver con la vista imaginativa y considerar que mi alma está encarcelada en este cuerpo sujeto a corrupción, y todo el compuesto en este valle, como desterrado, entre brutos animales. Digo todo el compuesto de alma y cuerpo.

48 **Segundo preámbulo**. El segundo es pedir a Dios nuestro Señor lo que quiero y deseo. La petición ha de ser según la materia correspondiente, es a saber, si la contemplación es de la Resurrección, pedir gozo con Cristo gozoso; si es de la Pasión, pedir pena, lágrimas y tormento con Cristo atormentado. Aquí será pedir vergüenza y confusión de mí mismo, viendo cuántos han sido condenados por un solo pecado mortal y cuántas veces yo merecía ser condenado para siempre por tantos pecados míos.

49 **Nota**. Antes de todas las contemplaciones o meditaciones se deben hacer siempre la oración preparatoria, sin cambiarla, y los dos preámbulos ya dichos, algunas veces cambiándolos según la materia correspondiente.

50 **Primer punto.** El primer punto será ejercitar la memoria sobre el primer pecado, que fue el de los ángeles, y luego sobre el mismo ejercitar el entendimiento discurriendo; luego la voluntad; queriendo recordar y entender todo esto para avergonzarme y confundirme más; comparando con un pecado de los ángeles tantos pecados míos, y pensando que, si ellos por un pecado fueron al infierno, cuántas veces yo le he merecido por tantos. Digo hacer memoria del pecado de los ángeles: cómo siendo ellos creados en gracia, no queriendo ayudarse de su libertad para reverenciar y obedecer a su Creador y Señor, ensoberbeciéndose, quedaron convertidos de gracia en malicia, y lanzados del cielo al infierno; y así a continuación discurrir, más en particular, con el entendimiento; y a continuación mover más los afectos con la voluntad.

51 **Segundo punto.** El segundo, hacer otro tanto, es a saber, ejercitar las tres potencias sobre el pecado de Adán y Eva, trayendo a la memoria cómo por aquel pecado hicieron tanto tiempo penitencia, y cuánta corrupción vino en el género humano, yendo tanta gente al infierno. Digo "traer a la memoria" el segundo pecado (el de

nuestros primeros padres), recordando cómo después de que Adán fue creado en el campo de Damasco y puesto en el paraíso terrenal, y Eva fue creada de su costilla, aunque se les prohibió que comiesen del árbol de la ciencia, ellos comieron y asimismo pecaron; y después, vestidos de túnicas de pieles y lanzados del paraíso, sin la justicia original que habían perdido, vivieron toda su vida en muchos trabajos y mucha penitencia; y a continuación discurrir con el entendimiento más particularmente, y usar de la voluntad como está dicho.

52 **Tercer punto.** El tercero, asimismo hacer otro tanto sobre el tercer pecado: el pecado personal de uno cualquiera que por un pecado mortal ha ido al infierno; y otros muchos sin cuento, por menos pecados de los que yo he hecho. Digo hacer otro tanto sobre el tercer pecado personal, trayendo a la memoria la gravedad y malicia del pecado contra su Creador y Señor; y discurrir con el entendimiento, ponderando cómo al pecar, por obrar contra la bondad infinita el pecador, justamente ha sido condenado para siempre, y acabar ejercitando la voluntad como está dicho.

53 **Coloquio**. Imaginando a Cristo nuestro Señor delante y puesto en cruz, hacer un coloquio, considerando cómo de Creador ha venido a hacerse hombre, y de vida eterna a muerte temporal, y así a morir por mis pecados. Otro tanto mirando a mí mismo, considerando lo que he hecho por Cristo, lo que hago por Cristo, lo que debo hacer por Cristo; y al fin, viéndolo de esa manera y colgado así en la cruz, dejar correr el afecto, expresando lo que se ofreciere.

54 El coloquio se hace, propiamente, hablando como un amigo habla a otro o un siervo a su Señor, unas veces pidiendo alguna gracia, otras culpándose por algo que se ha hecho mal, otras comunicando sus cosas y deseando consejo en ellas. Decir un Padrenuestro.

55 *SEGUNDO EJERCICIO: MEDITACIÓN DE LOS PECADOS. CONTIENE, DESPUÉS DE LA ORACIÓN PREPARATORIA Y LOS DOS PREÁMBULOS, CINCO PUNTOS Y UN COLOQUIO.*

Oración. La oración preparatoria sea la misma.

Primer preámbulo. El primer preámbulo será la misma composición de lugar.

Segundo preámbulo. El segundo es pedir lo que quiero. Será aquí pedir crecido e intenso dolor y lágrimas de mis pecados.

56 **Primer punto**. El primer punto es el proceso de los pecados; es a saber, traer a la memoria todos los pecados de la vida, recordándolos de año en año o de tiempo en tiempo; para lo cual aprovechan tres cosas: la primera mirar el lugar y la casa donde he habitado; la segunda, el trato que he tenido con otros; la tercera, el oficio en que he vivido.

57 **Segundo punto**. El segundo, ponderar los pecados, mirando la fealdad y la malicia que cada pecado capital cometido tiene en sí mismo, aunque no estuviese prohibido.

58 **Tercer punto**. El tercero, mirar quién soy yo, disminuyéndome por ejemplos: 1°, cuánto soy yo en comparación de todos los hombres; 2°, qué son los hombres en comparación de todos los ángeles y santos del paraíso; 3°, mirar qué es todo lo creado en comparación de Dios; pues yo solo ¿qué puedo ser?; 4°, mirar toda la corrupción repugnante de mi cuerpo; 5°, mirarme como una llaga y postema, de la que han salido tantos pecados y tantas maldades y pus tan asqueroso.

59 **Cuarto punto.** El cuarto, considerar quién es Dios, contra quien he pecado, según sus atributos, comparándolos con sus contrarios en mí: su sabiduría comparada con mi ignorancia, su omnipotencia con mi debilidad, su justicia con mi iniquidad, su bondad con mi malicia.

60 **Quinto punto.** El quinto, exclamación llena de admiración y con crecido afecto, recorriendo una a una todas las criaturas: cómo me han dejado con vida y conservado en ella; los ángeles, siendo como son espada de la justicia divina, cómo me han sufrido y guardado y rogado por mí; los santos cómo se han puesto a interceder y rogar por mí; y los cielos, sol, luna, estrellas, y elementos, frutos, aves, peces, y animales. Y la tierra, cómo no se ha abierto para sorberme, creando nuevos infiernos para siempre sufrir en ellos.

61 **Coloquio.** Acabar con un coloquio de misericordia, razonando y dando gracias a Dios nuestro Señor porque me ha dado vida hasta ahora, proponiendo enmienda con su gracia para adelante. Decir un Padrenuestro.

62 *TERCER EJERCICIO: REPETICIÓN DEL 1º Y 2º EJERCICIO, HACIENDO TRES COLOQUIOS.*

Después de la oración preparatoria y los dos preámbulos, repítase el primer y segundo ejercicio, notando y haciendo pausa en los puntos que he sentido mayor consolación o desolación, o mayor sentimiento espiritual; después de lo cual haré tres coloquios de la manera que se sigue:

63 **Primer coloquio.** El primer coloquio a Nuestra Señora, para que me alcance gracia de su Hijo y Señor para tres cosas: la primera, para que sienta interno conocimiento de mis pecados y aborrecimiento de ellos; la segunda, para que sienta el desorden de mis operaciones, para que, aborreciéndolo, me enmiende y me ordene; la tercera, pedir conocimiento del mundo, para que, aborreciéndolo, aparte de mí las cosas mundanas y vanas. Y después decir un Ave María.

Segundo coloquio. El segundo, pedir otro tanto al Hijo, para que me lo alcance del Padre. Y después decir el "Alma de Cristo".

Tercer coloquio. El tercero pedir, otro tanto al Padre, para que el mismo Señor eterno me lo conceda. Y después decir un Padrenuestro.

64 *CUARTO EJERCICIO: RESUMIR ESTE MISMO TERCERO.*

Digo "resumir", porque el entendimiento, sin divagar, ha de ir repasando asiduamente los recuerdos de las cosas contempladas en los ejercicios pasados. Y hacer los mismos tres coloquios.

65 *QUINTO EJERCICIO: MEDITACIÓN DEL INFIERNO. CONTIENE, DESPUÉS DE LA ORACIÓN PREPARATORIA Y LOS DOS PREÁMBULOS, CINCO PUNTOS Y UN COLOQUIO.*

Oración. La oración preparatoria sea la acostumbrada.

Primer preámbulo. El primer preámbulo, es la composición de lugar, que es aquí ver con la vista de la imaginación la longitud, anchura y profundidad del infierno.

Segundo preámbulo. El segundo, pedir lo que quiero. Será aquí pedir interno sentimiento de la pena que padecen los condenados, para que si del amor del Señor eterno me olvidare por mis faltas, a lo menos el temor de las penas me ayude para no caer en pecado.

66 **1º** El primer punto será ver, con la vista de la imaginación, los grandes fuegos, y las almas como en cuerpos incandescentes.

67 **El 2º,** oír con los oídos llantos, alaridos, voces, blasfemias contra Cristo nuestro Señor, y contra todos sus santos.

68 **El 3º,** oler con el olfato humo, azufre quemado, pozos fétidos y cosas podridas.

69 **El 4º,** gustar con el gusto cosas amargas, como lágrimas, tristeza y el gusano de la conciencia.

70 **El 5º,** tocar con el tacto, es a saber, cómo los fuegos tocan y abrasan las almas.

71 **Coloquio.** Haciendo un coloquio a Cristo nuestro Señor, traer a la memoria las almas que están en el infierno, unas porque no creyeron el advenimiento de Cristo, otras porque creyendo no obraron según sus mandamientos, haciendo tres partes:

1ª La primera antes del advenimiento de Cristo.

2ª La segunda en su vida.

3ª La tercera después de su vida en este mundo; y después darle gracias porque no me ha dejado caer en ninguna de éstas acabando mi vida. Y agradecerle también porque hasta ahora siempre ha tenido de mí tanta piedad y misericordia. Acabar con un Padrenuestro.

72 **Nota.** El primer ejercicio se hará a media noche; el 2º nada más levantarse a la mañana; el 3º antes o después de la misa (de todos modos, que sea antes de comer); el 4º a la hora de vísperas; el 5º una hora antes de cenar. Entiendo este horario, más o menos, en todas las cuatro semanas, según que la edad, disposición y temperamento, ayude a la persona que se ejercita para hacer los cinco ejercicios o menos.

73 ADICIONES PARA MEJOR HACER LOS EJERCICIOS Y PARA MEJOR HALLAR LO QUE SE DESEA.

1ª adición. La primera adición es, después de acostado, cuando ya que estoy por dormirme, por espacio de un Ave María pensar a qué hora me tengo que levantar, y para qué, resumiendo el ejercicio que tengo que hacer.

74 **2ª adición.** La segunda: cuando me despertare, sin dar lugar a unos pensamientos ni a otros, fijarme enseguida en lo que voy a contemplar en el primer ejercicio (el de media noche), mo-

viéndome a confusión de tantos pecados míos, poniendo ejemplos: como si un caballero se hallase delante de su rey y de toda su corte, avergonzado y confundido de haber ofendido mucho a aquel de quien primero recibió muchos dones y muchas mercedes. Asimismo en el segundo ejercicio, viéndome como gran pecador y encadenado, es a saber, que voy atado como en cadenas a comparecer delante del sumo juez eterno, poniéndome el ejemplo de cómo los encarcelados y encadenados ya dignos de muerte comparecen delante de su juez temporal; y con estos pensamientos vestirme, o con otros según la materia correspondiente.

75 **3ª adición.** La tercera, un paso o dos antes del lugar donde tengo que hacer la contemplación o meditación, me pondré en pie por espacio de un Padrenuestro, alzado el entendimiento arriba, considerando cómo Dios nuestro Señor me mira, etc., y hacer una reverencia o un gesto de humillación.

76 **4ª adición.** La cuarta, entrar en la contemplación, unas veces de rodillas, otras postrado en tierra, otras tendido rostro arriba, otras sentado, otras en pie, yendo siempre a buscar lo que quie-

ro. Dos cosas advertiremos: la primera es que, si de rodillas hallo lo que quiero no pasaré adelante, y si postrado, lo mismo, etc.; la segunda: en el punto en el cual hallare lo que quiero me detendré, sin tener ansia de pasar adelante hasta que me satisfaga.

77 **5ª adición.** La quinta, después de acabado el ejercicio, por espacio de un cuarto de hora, sentado o paseándome, miraré cómo me ha ido en la contemplación o meditación; y si mal, miraré la causa de donde procede, y al descubrirla me arrepentiré, para enmendarme en adelante; y si bien, daré gracias a Dios nuestro Señor; y haré otra vez de la misma manera.

78 **6ª adición.** La sexta, no querer pensar en cosas de placer ni alegría, como de gloria, resurrección, etc.; porque para sentir pena, dolor y lágrimas por nuestros pecados, impide cualquier consideración de gozo y alegría; sino tener delante de mí quererme doler y sentir pena, trayendo más bien a la memoria la muerte y el juicio.

79 **7ª adición.** La séptima, es privarme de toda claridad, para el mismo efecto, cerrando ventanas y puertas el tiempo que estuviere en la habitación, si no fuere para rezar, leer y comer.

80 **8ª adición.** La octava, no reír ni decir cosa que mueva a risa.

81 **9ª adición.** La novena, refrenar la vista, excepto al recibir o al despedir a la persona con quien hablare.

82 **10ª adición.** La décima adición es penitencia, que se divide en interna y externa. Interna es dolerse de sus pecados con firme propósito de no cometer aquellos ni otro ninguno. La externa, o fruto de la primera, es castigo de los pecados mortales, y principalmente se hace de tres maneras:

83 **1ª manera.** La primera es acerca del comer; es a saber, cuando quitamos lo superfluo no es penitencia, sino templanza; penitencia es cuando quitamos de lo conveniente, y cuanto más y más, mayor y mejor, sólo que no se debilite la persona ni se siga enfermedad notable.

84 **2ª manera.** La segunda, acerca del modo de dormir; y asimismo no es penitencia quitar lo superfluo de cosas delicadas o suaves, sino que es penitencia cuando en el modo se quita de lo conveniente, y cuanto más y más mejor, sólo que no se debilite la persona ni se siga enfermedad notable. Ni tampoco se quite del sueño conve-

niente, a no ser que tal vez tenga hábito vicioso de dormir demasiado, para venir al justo medio.

85 **3ª manera.** La tercera, castigar la carne, es a saber, dándole dolor sensible, el cual se da trayendo cilicios o sogas o barras de hierro sobre las carnes, flagelándose o llagándose, y usando otras maneras de asperezas.

86 Lo que parece más práctico y más seguro de la penitencia, es que el dolor sea sensible en las carnes y que no entre dentro en los huesos, de manera que dé dolor y no enfermedad. Por lo cual parece que es más conveniente lastimarse con cuerdas delgadas, que dan dolor de fuera, que no de otra manera que cause dentro enfermedad que sea notable.

87 **1ª nota.** La primera nota es que las penitencias externas principalmente se hacen por tres efectos: el primero, por satisfacer los pecados pasados; 2º, por vencerse a sí mismo, es a saber, para que los sentidos obedezcan a la razón, y el instinto esté más sujeto a las facultades superiores de la persona; 3º, para buscar y hallar alguna gracia o don que la persona quiere y desea, como si desea tener interna contrición de sus pecados, o llorar mucho sobre ellos o sobre las penas y

dolores que Cristo nuestro Señor pasaba en su Pasión, o por solución de alguna duda en que la persona se halla.

88 **2ª nota.** La segunda, es de advertir que la primera y segunda adición se han de hacer para los ejercicios de la media noche y al amanecer, y no para los que se harán en otros tiempos; y que la cuarta adición nunca se hará en la iglesia delante de otros, sino en escondido, como en casa, etc.

89 **3ª nota.** La tercera, cuando la persona que se ejercita aún no halla lo que desea (como lágrimas, consolaciones, etc.) muchas veces aprovecha hacer cambios en el comer, en el dormir, y en otros modos de hacer penitencia, de manera que cambiemos, haciendo dos o tres días penitencia y otros dos o tres no. Porque a algunos conviene hacer más penitencia, y a otros menos; y también porque muchas veces dejamos de hacer penitencia por el amor sensual y por juzgar erróneamente que el cuerpo no podrá tolerarla sin enfermedad notable; y algunas veces, por el contrario, hacemos demasiada pensando que el cuerpo pueda tolerarla; y como Dios nuestro Señor conoce infinitamente mejor nuestra natu-

raleza, muchas veces en esos cambios da a sentir a cada uno lo que le conviene.

90 **4ª nota.** La cuarta, el examen particular se haga para quitar defectos y negligencias sobre ejercicios y adiciones; y así en la segunda, tercera, y cuarta semana.

SEGUNDA SEMANA

91 EL LLAMAMIENTO DEL REY TEMPORAL AYUDA A CONTEMPLAR LA VIDA DEL REY ETERNAL.

Oración. La oración preparatoria sea la acostumbrada.

Primer preámbulo. El primer preámbulo es la composición de lugar. Será aquí ver con la vista de la imaginación sinagogas, villas y castillos, por donde Cristo nuestro Señor predicaba.

Segundo preámbulo. El segundo, pedir la gracia que quiero. Será aquí pedir gracia a nuestro Señor para que no sea sordo a su llamamiento, sino presto y diligente para cumplir su santísima voluntad.

92 **1º punto.** El primer punto es poner delante de mí un rey humano, elegido por designación de Dios nuestro Señor, a quien reverencian y obedecen todos los gobernantes y todos los hombres cristianos.

93 **2º punto.** El segundo, mirar cómo este rey habla a todos los suyos, diciendo: "Mi voluntad es conquistar toda la tierra de infieles; por tanto, quien quisiere venir conmigo ha de estar contento de comer como yo, y así de beber y vestir, etc.; asimismo ha de trabajar conmigo en el día y vigilar en la no-

che, etc.; para que así después tenga parte conmigo en la victoria como la ha tenido en los trabajos."

94 **Tercer punto**. El tercero: considerar qué deben responder los buenos súbditos a rey tan liberal y tan humano, y por consiguiente si alguno no aceptase la petición de tal rey, cuánto merecería ser menospreciado por todo el mundo y tenido por perverso caballero.

95 La segunda parte de este ejercicio consiste en aplicar el anterior ejemplo del rey temporal a Cristo nuestro Señor, conforme a los tres puntos dichos.

Primer punto. Y en cuanto al primer punto, si consideramos ese llamamiento del rey temporal a sus súbditos, cuánto es cosa más digna de consideración ver a Cristo nuestro Señor, rey eterno, y delante de él a todo el universo mundo, al cual y a cada uno en particular llama y dice: "Mi voluntad es conquistar todo el mundo y todos los enemigos, y así entrar en la gloria de mi Padre; por tanto, quien quisiere venir conmigo ha de trabajar conmigo, para que siguiéndome en la pena también me siga en la gloria."

96 **Segundo punto**. El segundo: considerar que todos los que tuvieren juicio y razón ofrecerán toda su persona al trabajo.

97 **Tercer punto.** El tercero: los que quieran aspirar a más y señalarse en todo servicio de su rey eterno y Señor universal, no solamente ofrecerán su persona al trabajo, sino que, obrando incluso contra su propia sensualidad y contra su amor carnal y mundano, harán oblaciones de mayor valor y mayor importancia, diciendo:

98 *"Eterno Señor de todas las cosas, yo hago mi oblación, con vuestro favor y ayuda, delante de vuestra infinita bondad y delante de vuestra Madre gloriosa y de todos los santos y santas de la corte celestial: que yo quiero, y deseo, y es mi determinación deliberada, con tal de que sea vuestro mayor servicio y alabanza, imitaros en pasar toda clase de injurias y todo menosprecio y toda pobreza, así actual como espiritual, si vuestra santísima majestad me quiere elegir y recibir en tal vida y estado."*

99 **1ª Nota.** Este ejercicio se hará dos veces al día: al levantarse por la mañana, y una hora antes de comer o de cenar.

100 **2ª Nota.** Para la segunda semana y así en adelante, mucho aprovecha el leer algunos ratos en los libros de la Imitación de Cristo, o de los Evangelios y de vidas de santos.

101 EL PRIMER DÍA, LA PRIMERA CONTEMPLACIÓN ES DE LA ENCARNACIÓN. CONTIENE LA ORACIÓN PREPARATORIA, TRES PREÁMBULOS, TRES PUNTOS Y UN COLOQUIO.

Oración. La oración preparatoria acostumbrada.

102 **Primer preámbulo.** El primer preámbulo es recordar la historia de lo que debo contemplar; que es aquí cómo las tres personas divinas miraban la llanura o redondez de todo el mundo lleno de hombres, y cómo, viendo que todos descendían al infierno, determinan en su eternidad que la segunda persona se haga hombre para salvar el género humano, y así al llegar la plenitud de los tiempos, envían al ángel Gabriel a Nuestra Señora (n. 262).

103 **Segundo preámbulo.** El segundo, composición viendo el lugar. Aquí será ver la gran capacidad y redondez del mundo, en el cual están tantas y tan diversas gentes; asimismo después ver particularmente la casa y aposento de Nuestra Señora en la ciudad de Nazaret, en la provincia de Galilea.

104 **Tercer preámbulo.** El tercero, pedir lo que quiero: será aquí pedir conocimiento interno del Señor que por mí se ha hecho hombre, para que más lo ame y lo siga.

105 **Nota.** Conviene notar aquí que esta misma oración preparatoria sin cambiarla, como se dijo al principio, y los mismos tres preámbulos se han de hacer en esta semana y en las siguientes, cambiando la forma, según la materia correspondiente.

106 **Primer punto.** El primer punto es ver las personas, unas y otras; y primero las de la faz de la tierra, en tanta diversidad, así en trajes como en actitudes, unos blancos y otros negros, unos en paz y otros en guerra, unos llorando y otros riendo, unos sanos y otros enfermos, unos naciendo y otros muriendo, etcétera.

2°: ver y considerar las tres personas divinas, en su solio real o trono de su divina majestad, cómo miran toda la faz y redondez de la tierra, y todas las gentes en tanta ceguedad y cómo mueren y descienden al infierno.

3°: ver a Nuestra Señora y al ángel que la saluda, y reflexionar para sacar provecho de lo que vemos.

107 **Segundo punto.** El segundo: oír lo que hablan las personas sobre la faz de la tierra, es a saber, cómo hablan unos con otros, cómo juran y blasfeman, etc.; asimismo lo que dicen las personas

divinas, es a saber: "Hagamos redención del género humano", etc.; y después lo que hablan el ángel y Nuestra Señora; y reflexionar después para sacar provecho de sus palabras.

108 **Tercer punto**. El tercero: después mirar lo que hacen las personas sobre la faz de la tierra, como por ejemplo herir, matar, ir al infierno, etc.; asimismo lo que hacen las personas divinas, es a saber realizar la santísima encarnación, etc.; y asimismo lo que hacen el ángel y Nuestra Señora, a saber, el ángel hace su oficio de enviado y Nuestra Señora se humilla y da gracias a la divina majestad; y después reflexionar para sacar algún provecho de cada cosa de éstas.

109 **Coloquio**. Al fin se ha de hacer un coloquio, pensando lo que debo hablar a las tres personas divinas, o al Verbo eterno encarnado o a la Madre y Señora nuestra, pidiendo gracia según lo que sintiere en mí, para seguir e imitar más al Señor nuestro, que acaba de encarnarse. Decir por último un Padrenuestro.

110 SEGUNDA CONTEMPLACIÓN ES DEL NACIMIENTO.

Oración. La oración preparatoria acostumbrada.

111 **Primer preámbulo.** El primer preámbulo es la historia, y será aquí cómo desde Nazaret salieron Nuestra Señora encinta, casi de nueve meses, como se puede meditar piadosamente sentada en una borriquilla, y José y una esclavita, llevando un buey para ir a Belén a pagar el tributo que el César impuso en todas aquellas tierras (n. 264).

112 **Segundo preámbulo.** El segundo: composición viendo el lugar. Será aquí ver con la vista de la imaginación el camino desde Nazaret a Belén, considerando su longitud y anchura, y si ese camino es llano, o si pasa por valles o cuestas; asimismo mirar el lugar o gruta del nacimiento, qué grande, o qué pequeña era, qué baja o qué alta, y cómo estaba preparada.

113 **Tercer preámbulo.** El tercero será el mismo y de la misma forma que fue en la contemplación anterior.

114 **Primer punto.** El primer punto es ver las personas; es a saber, ver a Nuestra Señora y a José y a la esclava y al Niño Jesús recién nacido, haciéndome yo un pobrecito y esclavito indigno, mirándolos, contemplándolos y sirviéndoles en lo que necesiten, como si presente me hallase,

con todo el acatamiento y reverencia posibles; y después reflexionar en mi interior para sacar algún provecho.

115 **Segundo punto.** El segundo: mirar, advertir y contemplar lo que hablan; y reflexionando en mi interior sacar algún provecho.

116 **Tercer punto.** El tercero: mirar y considerar lo que hacen, como por ejemplo caminar y trabajar, para que el Señor nazca en suma pobreza, y al final de tantos trabajos, de hambre y sed, de calor y de frío, de injurias y afrentas, para morir en cruz; y todo esto por mí; después reflexionando sacar algún provecho espiritual.

117 **Coloquio.** Acabar con un coloquio, así como en la anterior contemplación, y con un Padrenuestro.

118 LA TERCERA CONTEMPLACIÓN SERÁ REPETICIÓN DEL PRIMERO Y SEGUNDO EJERCICIO.

Después de la oración preparatoria y de los tres preámbulos se hará la repetición del primero y segundo ejercicio, destacando siempre algunas partes más principales donde haya sentido la persona algún conocimiento, consolación o desolación, haciendo asimismo al fin un coloquio y diciendo un Padrenuestro.

119 En esta repetición y en todas las siguientes se procederá de la misma manera que en las repeticiones de la primera semana, cambiando la materia y guardando la forma.

120 LA CUARTA CONTEMPLACIÓN SERÁ REPETICIÓN DE LA PRIMERA Y SEGUNDA, DE LA MISMA MANERA QUE SE HIZO EN LA REPETICIÓN ANTERIOR.

121 LA QUINTA SERÁ APLICAR LOS CINCO SENTIDOS SOBRE LOS TEMAS DE LA PRIMERA Y SEGUNDA CONTEMPLACIÓN.

Oración. Después de la oración preparatoria y de los tres preámbulos, aprovecha el aplicar los cinco sentidos de la imaginación por la primera y segunda contemplación de la manera siguiente.

122 **Primer punto.** El primer punto es ver las personas con la vista de la imaginación, meditando y contemplando en particular sus circunstancias; y sacar algún provecho de lo que vemos.

123 **Segundo punto.** El segundo: oír con el oído lo que hablan o pueden hablar, y reflexionando en mi interior, sacar algún provecho de ello.

124 **Tercer punto.** El tercero: oler y gustar con el olfato y con el gusto la infinita suavidad y dulzura de la divinidad, del alma y de sus virtudes y de todo, según fuere la persona que se contempla, reflexionando en sí mismo; y sacar provecho de ello.

125 **Cuarto punto.** El cuarto: tocar con el tacto, por ejemplo abrazar y besar los lugares donde esas personas pisan y están colocadas, procurando siempre sacar provecho de ello.

126 **Coloquio.** Se acabará con un coloquio como en la primera y segunda contemplación, y con un Padrenuestro.

127 **1ª nota.** Primera nota: es de advertir, para toda esta semana y las otras siguientes, que solamente tengo que leer el misterio de la contemplación que inmediatamente he de hacer, de manera que por entonces no lea ningún misterio que no haya de hacer aquel día o en aquella hora, para que la consideración de un misterio no estorbe a la consideración del otro.

128 **2ª nota.** La segunda: el primer ejercicio de la encarnación se hará a media noche; el segundo al amanecer; el tercero antes o después de la misa; el cuarto a la hora de vísperas, y el quinto antes de la hora de cenar, estando por espacio de una hora en cada uno de los cinco ejercicios; y el mismo orden se llevará en todo lo siguiente.

129 **3ª nota.** La tercera: es de advertir que si la persona que hace los ejercicios es viejo o débil, o, aunque sea fuerte, si de la primera semana ha quedado débil de alguna manera, es mejor que en esta segunda semana, al menos algunas veces, no se levante a media noche, sino que haga a la mañana una contemplación, otra antes o después de la misa, otra antes de comer; y sobre ellas una repetición a la hora de vísperas, y después aplique los sentidos antes de cena.

130 **4ª nota.** La cuarta: en esta segunda semana, de las diez adiciones que se dijeron en la primera semana, han de cambiarse la segunda, la sexta, la séptima y, en parte, la décima.

La segunda será: en cuanto me despierto poner enfrente de mí la contemplación que tengo que hacer, deseando conocer más al Verbo eterno Encarnado, para más servirlo y seguirlo.

La sexta será traer a la memoria frecuentemente la vida y misterios de Cristo nuestro Señor, comenzando desde su encarnación hasta el lugar o misterio que voy contemplando.

La séptima será que lo de tener oscuridad y claridad, usar de buena temperatura o variarla, se debe observar tanto cuanto la persona que se ejercita sintiere que le puede aprovechar y ayudar para hallar lo que desea.

La décima adición el que se ejercita debe proceder según los misterios que contempla; porque algunos misterios piden penitencia y otros no. De manera que se hagan las diez adiciones con mucho cuidado.

131 **5ª nota.** La quinta nota: en todos los ejercicios, excepto en el de la media noche y en el de la mañana, se tomará lo equivalente de la segunda adición de la manera siguiente: en cuanto me acuerde que es hora del ejercicio que tengo que hacer, antes de ir a hacerlo consideraré adónde voy y delante de quién, re-

sumiendo un poco el ejercicio que tengo que hacer; y después, haciendo la tercera adición, entraré en el ejercicio.

132 **2º día.** El segundo día, tomar por primera y segunda contemplación la presentación en el templo (n. 268), y la huida como en destierro a Egipto (n. 269); sobre estas dos contemplaciones se harán dos repeticiones y se aplicarán los cinco sentidos sobre ellas de la misma manera que se hizo el día anterior.

133 **Nota.** Aunque el que se ejercita sea recio y capaz de hacer los cinco ejercicios, algunas veces ayuda cambiar este segundo día hasta el cuarto inclusive para mejor hallar lo que desea, tomando sólo una contemplación al amanecer y otra antes o después de misa, haciendo una repetición sobre ellas a la hora de vísperas, y aplicando los sentidos antes de la cena.

134 **3º día.** El tercer día tomar por primera y segunda contemplación cómo el niño Jesús era obediente a sus padres en Nazaret (n. 271); y cómo después lo hallaron en el templo (n. 272); y así sobre ellas después hacer las dos repeticiones y aplicar los cinco sentidos.

135 PREÁMBULO PARA CONSIDERAR ESTADOS DE VIDA.

Preámbulo. Considerado ya el ejemplo que Cristo nuestro Señor nos ha dado para el primer estado de vida, que es de observancia de los mandamientos, viviendo él en obediencia a sus padres; y asimismo para el segundo estado de vida, que es de perfección evangélica, cuando se quedó en el templo dejando a su padre adoptivo y a su madre natural por entregarse al servicio exclusivo de su Padre eternal; a la vez que vamos contemplando su vida comenzaremos juntamente a investigar y a preguntar al Señor en qué vida o estado se quiere servir de nosotros su divina majestad. Y así para alguna introducción de ello, en el primer ejercicio siguiente veremos la intención de Cristo nuestro Señor, y por el contrario la del enemigo de la naturaleza humana; y cómo nos debemos disponer para llegar a la perfección en cualquier estado o vida que Dios nuestro Señor nos diere a elegir.

136 **4º día.** El cuarto día meditación de dos banderas, una de Cristo, sumo capitán y señor nuestro, la otra de Lucifer, mortal enemigo de nuestra humana naturaleza.

Oración. La oración preparatoria acostumbrada.

137 **Primer preámbulo**. El primer preámbulo es la historia: será aquí cómo Cristo llama y quiere a todos debajo de su bandera, y Lucifer, al contrario, bajo de la suya.

138 **Segundo preámbulo**. El segundo: composición viendo el lugar. Será aquí ver un gran campo en toda aquella región de Jerusalén, donde el sumo capitán general de los buenos es Cristo nuestro Señor; otro campamento en región de Babilonia, donde el caudillo de los enemigos es Lucifer.

139 **Tercer preámbulo**. El tercero: pedir lo que quiero; y será aquí pedir conocimiento de los engaños del mal caudillo, y ayuda para guardarme de ellos, y conocimiento de la vida verdadera que nos muestra el sumo y verdadero capitán, y gracia para imitarle.

140 **Primer punto**. El primer punto es imaginar como si el caudillo de todos los enemigos tomase asiento en aquel gran campamento de Babilonia, en una especie de cátedra grande de fuego y humo, en figura horrible y espantosa.

141 **Segundo punto**. El segundo: considerar cómo hace un llamamiento a innumerables demonios y

cómo los esparce a unos en una ciudad y a otros en otra, y así por todo el mundo, no dejando provincias, lugares, estados ni personas algunas en particular.

142 **Tercer punto.** El tercero: considerar el discurso que les dirige, cómo los exhorta a echar redes y cadenas; de manera que primero deberán tentar de codicia de riquezas, como suele ser comúnmente, para que más fácilmente lleguen al vano honor del mundo, y después a crecida soberbia; de manera que el primer escalón sea de riquezas, el segundo de honor y el tercero de soberbia; y de estos tres escalones induce a todos los otros vicios.

143 Así, por el contrario, hay que imaginar al sumo y verdadero capitán que es Cristo nuestro Señor.

144 **Primer punto.** El primer punto es considerar cómo Cristo nuestro Señor se pone en un gran campamento de aquella región de Jerusalén en lugar humilde, hermoso y afable.

145 **Segundo punto.** El segundo: considerar cómo el Señor de todo el mundo escoge tantas personas, apóstoles, discípulos, etc., y los envía por todo el mundo a esparcir su sagrada doctrina por todos los estados y condiciones de personas.

146 **Tercer punto.** El tercero: considerar el sermón que Cristo nuestro Señor dirige a todos sus siervos y amigos, que envía a esa tarea encomendándoles que a todos quieran ayudar para traerlos, primero a suma pobreza espiritual, y si su divina majestad fuere servida y los quisiere elegir, no menos a la pobreza actual; segundo, a deseo de oprobios y menosprecios, porque de estas dos cosas se sigue la humildad; de manera que sean tres escalones: el primero, pobreza frente a riqueza; el segundo, oprobio o menosprecio frente al honor mundano; el tercero, humildad frente a soberbia; y de estos tres escalones induzcan a todas las otras virtudes.

147 **Coloquio.** Un coloquio a Nuestra Señora para que me alcance gracia de su Hijo y Señor, para que yo sea recibido bajo su bandera, y primero en suma pobreza espiritual, y si su divina majestad fuere servido y me quisiere elegir y recibir, no menos en la pobreza actual; segundo, en pasar oprobios e injurias por imitarle más en ellas, con tal de que las pueda pasar sin pecado de ninguna persona y sin desagradar a su divina majestad; después decir un Ave María.

Segundo coloquio. Pedir otro tanto al Hijo, para que me lo alcance del Padre, y después decir el "Alma de Cristo".

Tercer coloquio. Pedir otro tanto al Padre, para que él me lo conceda, y decir un Padrenuestro.

148 **Nota.** Este ejercicio se hará a media noche y después otra vez a la mañana siguiente, y se harán dos repeticiones de este mismo antes o después de la misa y a la hora de vísperas, siempre acabando con los tres coloquios de Nuestra Señora, del Hijo y del Padre. Y el siguiente de los binarios se hará a la hora antes de cenar.

149 **4º día.** El mismo cuarto día se haga meditación de tres binarios de hombres, para abrazar la disposición del mejor.

Oración. La oración preparatoria acostumbrada.

150 **Primer preámbulo.** El primer preámbulo es la historia, la cual es de tres binarios de hombres, y cada uno de ellos ha adquirido diez mil ducados, no pura o rectamente por amor de Dios; y quieren todos salvarse y hallar en paz a Dios nuestro Señor, quitando de sí el peso e impedimento que para ello tienen en el apego a la cosa adquirida.

151 **Segundo preámbulo.** El segundo, composición de lugar. Será aquí verme a mí mismo, cómo estoy delante de Dios nuestro Señor y de todos sus santos, para desear y conocer lo que sea más grato a su divina bondad.

152 **Tercer preámbulo.** El tercero, pedir lo que quiero: aquí será pedir gracia para elegir lo que sea más para gloria de su divina majestad y salud de mi alma.

153 **Primer binario.** El primer binario, para hallar en paz a Dios nuestro Señor y poderse salvar, querría quitar el afecto que tiene a la cosa adquirida; pero, sin poner ningún medio, llega la hora de la muerte.

154 **Segundo binario.** El segundo quiere quitar el afecto desordenado, pero le quiere quitar de tal forma que se quede con la cosa adquirida; de manera que Dios venga donde él quiere, y no se determina a dejarla para ir a Dios, aunque fuese el mejor estado para él.

155 **Tercer binario.** El tercero quiere quitar el afecto, pero le quiere quitar de tal modo que tampoco está apegado a tener la cosa adquirida o no tenerla; sino quiere solamente quererla o no quererla según que

Dios nuestro Señor se lo haga sentir en la voluntad, y a esa persona le parezca mejor para servicio y alabanza de su divina majestad; y mientras llega el momento de la elección quiere hacer cuenta que en su afecto ha renunciado ya a todo, poniendo toda la fuerza de la voluntad en no querer aquello ni ninguna otra cosa mientras no le mueva el sólo el servicio de Dios nuestro Señor, de manera que el deseo de poder servir mejor a Dios nuestro Señor le mueva a tomar la cosa o dejarla.

156 **Tres coloquios.** Hacer los mismos tres coloquios que se hicieron en la contemplación precedente de las dos banderas.

157 **Nota.** Es de notar que cuando nosotros sentimos afecto a las riquezas o repugnancia contra la pobreza actual, cuando no estamos indiferentes a pobreza o riqueza, ayuda mucho para extinguir ese afecto desordenado pedir en los coloquios (aunque sea contra la inclinación natural) que el Señor le elija en pobreza actual; y que él quiere, pide y suplica, con tal de que sea servicio y alabanza de la su divina bondad.

158 **5º día.** El quinto día, contemplación sobre la partida de Cristo nuestro Señor desde Nazaret al río Jordán, y cómo fue bautizado (n. 273).

159 **1ª nota.** Esta contemplación se hará una vez a media noche y otra vez a la mañana; y se harán dos repeticiones sobre ella antes o después de la misa y las vísperas, y antes de cena se hará sobre ella la aplicación de los cinco sentidos; en cada uno de estos cinco ejercicios se hará al principio la oración preparatoria acostumbrada y los tres preámbulos, según está explicado en la contemplación de la encarnación y del nacimiento; se acabará con los tres coloquios de los tres binarios o según la nota que se sigue después de los binarios.

160 **2ª nota.** El examen particular después de comer y después de cenar se hará sobre las faltas y negligencias acerca los ejercicios y adiciones de este día, y lo mismo se hará en los siguientes.

161 **6º día.** El sexto día, contemplación de cómo Cristo nuestro Señor fue desde el río Jordán al desierto inclusive, llevando en todo la misma forma de proceder que en el día quinto.

7º día. El séptimo día, cómo San Andrés y otros siguieron a Cristo nuestro Señor (n. 275).

8º día. El octavo, del sermón del monte, que es el de las ocho bienaventuranzas (n. 278).

9º día. El noveno, cómo Cristo nuestro Señor se apareció a sus discípulos sobre las olas del mar (n. 279).

10º día. El décimo, cómo el Señor predicaba en el templo (n. 288).

11º día. El undécimo, de la resurrección de Lázaro (n. 285).

12º día. El duodécimo, del día de ramos (n. 287).

162 **1ª nota.** La primera nota es que en las contemplaciones de esta segunda semana, según que cada uno quiera dedicar más o menos tiempo o según el provecho espiritual que vaya sacando, puede alargar o abreviar la semana. Si quiere alargarla, tome los misterios de la visitación de Nuestra Señora a Santa Isabel, de los pastores, de la circuncisión del niño Jesús, y de los tres reyes, y otros misterios; y si quiere abreviar puede quitar aún de los que están puestos; porque aquí sólo damos una introducción y modo para después contemplar mejor y más cumplidamente.

163 **2ª nota.** La segunda nota: la materia de las elecciones se comenzará desde la contemplación de Nazaret al Jordán inclusive, esto es, el quinto día, como se explica al hablar de la elección.

164 **3ª nota**. La tercera: antes de entrar en las elecciones, para aficionarse a la verdadera doctrina de Cristo nuestro Señor, es muy útil considerar y advertir en las tres siguientes maneras de humildad, considerando en ellas a ratos por todo el día, y asimismo haciendo los coloquios según se dirá más adelante.

165 **1ª humildad**. La primera manera de humildad es necesaria para la salvación eterna, es a saber, que me abaje y me humille tanto cuanto en mí sea posible, para obedecer en todo a la ley de Dios nuestro Señor, de tal suerte que, aunque me hiciesen Señor de todas las cosas criadas en este mundo, ni siquiera por salvar la propia vida temporal, me ponga a deliberar sobre quebrantar un mandamiento divino o humano que me obligue a pecado mortal.

166 **2ª humildad**. La segunda manera es más perfecta humildad que la primera, es a saber, si yo me hallo en tal punto que no quiero ni siento más inclinación a tener riquezas que pobreza, a querer honor que deshonor, a desear vida larga que corta, si es igual servicio de Dios nuestro Señor y salud de mi alma; y además de esto, que ni por todo lo creado, ni aunque me quitasen la

vida, no me ponga a deliberar sobre hacer un pecado venial.

167 **3ª humildad.** La tercera manera es humildad perfectísima, es a saber, cuando incluyendo la primera y la segunda, y siendo igual alabanza y gloria de la divina majestad, por imitar y parecer más actualmente a Cristo nuestro Señor, quiero y elijo pobreza con Cristo pobre más que riqueza, oprobios con Cristo lleno de ellos más que honores; y deseo ser estimado por vano y loco por Cristo que primero fue tenido por tal, más que por sabio ni prudente en este mundo.

168 **Nota.** Así para quien desea alcanzar esta tercera humildad ayuda mucho hacer los tres coloquios de los binarios ya dichos, pidiendo que el Señor nuestro le quiera elegir para esta tercera mayor y mejor humildad, para imitarle y servirle más, si fuera igual o mayor servicio y alabanza de su divina majestad.

169 PREÁMBULO PARA HACER ELECCIÓN.

En toda buena elección, en cuanto es de nuestra parte, el ojo de nuestra intención debe ser mirar rectamente, atendiendo solamente el fin para el que he sido creado, es a saber, para alabanza de

Dios nuestro Señor y salvación de mi alma; por tanto, cualquier cosa que yo eligiere debe ser para que me ayude para el fin para el que he sido creado, no subordinando ni acomodando el fin al medio, sino el medio al fin; así como sucede que muchos eligen primero casarse, lo cual es medio, y en segundo lugar servir a Dios nuestro Señor en el matrimonio, el cual servir a Dios es fin; asimismo hay otros que primero quieren tener beneficios eclesiásticos, y después servir a Dios en ellos. De manera que éstos no van derechos a Dios, sino que quieren que Dios venga derecho a sus afecciones desordenadas; por consiguiente hacen del fin medio y del medio fin. De suerte que lo que habían de poner primero lo ponen en último lugar; porque primero hemos de tener por objeto querer servir a Dios, que es el fin, y en segundo lugar tomar beneficio eclesiástico o casarme, si más me conviene, que es el medio para el fin; así ninguna cosa me debe mover a tomar tales medios o privarme de ellos, sino sólo el servicio y alabanza de Dios nuestro Señor y salvación eterna de mi alma.

170 PARA INFORMARSE DE QUÉ COSAS SE DEBE HACER ELECCIÓN. CONTIENE CUATRO PUNTOS Y UNA NOTA.

Primer punto. El primer punto: es necesario que todas las cosas de las que queremos hacer elección sean indiferentes o buenas en sí, y que estén dentro de lo aprobado por la Santa madre Iglesia jerárquica, y no malas ni contrarias a su espíritu.

171 **Segundo punto**. Segundo: hay unas cosas que caen bajo elección inmutable, como son sacerdocio, matrimonio, etc.; hay otras que caen debajo de elección mudable, como son tomar beneficios eclesiásticos o dejarlos, tomar bienes temporales o dejarlos.

172 **Tercer punto**. Tercero: en lo que cae bajo elección inmutable, cuando ya se ha hecho elección una vez no hay más que elegir, porque no se puede deshacer la elección, como es el matrimonio, el sacerdocio, etc. Sólo hay que mirar que si uno no ha hecho elección debida y ordenadamente, sin afecciones desordenadas, se arrepienta y procure hacer buena vida en el estado elegido; dicha elección no parece que sea vocación divina, por ser elección desordenada y torcida, como muchos yerran en esto creyendo vocación

divina una elección mala o torcida; porque toda vocación divina es siempre pura y limpia, sin mezcla de nada carnal ni de otra afección alguna desordenada.

173 **Cuarto punto.** Cuarto: Si de cosas que están bajo elección mudable alguno ha hecho elección debida y ordenadamente y sin mezcla de amor carnal y mundano, no hay para qué hacer elección de nuevo, sino perfeccionarse en ella cuanto pudiere.

174 **Nota.** Es de advertir que si la tal elección mudable no se ha hecho sincera y bien ordenada, entonces ayuda que quien tuviere deseo que de él salgan frutos notables y muy agradables a Dios nuestro Señor haga la elección debidamente.

175 TRES TIEMPOS PARA HACER SANTA Y BUENA ELECCIÓN EN CADA UNO DE ELLOS.

Primer tiempo. El primer tiempo es cuando Dios nuestro Señor mueve y atrae la voluntad de tal manera que sin dudar ni poder dudar esa alma bien dispuesta sigue lo que se le propone; como San Pablo y San Mateo lo hicieron, siguiendo a Cristo nuestro Señor.

176 **Segundo tiempo.** El segundo: cuando se obtiene suficiente claridad y conocimiento por experiencia de consolaciones y desolaciones y por experiencia de discreción de varios espíritus.

177 **Tercer tiempo.** El tercero tiempo es tranquilo, cuando uno, considerando primero para qué ha nacido, es a saber, para alabar a Dios nuestro Señor y salvar su alma, y deseando esto elige como medio una vida o estado dentro de los aprobados por la Iglesia, para que le ayude en el servicio de su Señor y salvación de su alma.

Digo "tiempo tranquilo" cuando el alma no está agitada por diversos espíritus y usa de sus potencias naturales libre y tranquilamente.

178 Por si no se hace elección en el primer o segundo tiempo se ponen a continuación dos modos para hacerla en el tercer tiempo.

EL PRIMER MODO PARA HACER SANTA Y BUENA ELECCIÓN CONTIENE SEIS PUNTOS.

Primer punto. El primer punto es proponerse delante la cosa sobre la que quiero hacer elección, como por ejemplo tomar o dejar un oficio o beneficio eclesiástico, o cualquier otra cosa que cae bajo elección mudable.

179 **Segundo punto.** Segundo: es menester tener por objeto el fin para el que he sido creado, que es para alabar a Dios nuestro Señor y salvar mi alma; y además de esto hallarme indiferente sin afección alguna desordenada, de manera que no esté más inclinado ni aficionado a tomar la cosa propuesta más que a dejarla, ni a dejarla más que a tomarla; sino que me halle como en el fiel de la balanza, para seguir aquello que sintiere ser más para gloria y alabanza de Dios nuestro Señor y salvación de mi alma.

180 **Tercer punto.** Tercero: pedir a Dios nuestro Señor quiera mover mi voluntad y hacerme sentir internamente lo que yo debo hacer acerca de la cosa propuesta, que sea más alabanza y gloria suya, considerando bien y fielmente con mi entendimiento y eligiendo conforme su santísima y grata voluntad.

181 **Cuarto punto.** Cuarto: considerar, razonando, cuántas ventajas o provechos se me siguen con tener el oficio o beneficio propuesto, para sola la alabanza de Dios nuestro Señor y salvación de mi alma; y por el contrario, considerar asimismo

las desventajas y peligros que hay en el tener. Hacer otro tanto en la segunda parte, es a saber, mirar las ventajas y provechos en no tener; y ver por el contrario, las ventajas y peligros en el mismo no tener.

182 **Quinto punto.** Quinto: después que así he considerado y razonado viendo los pros y contras sobre la cosa propuesta, mirar adónde se inclina más la razón, y así se debe tomar la determinación sobre la cosa propuesta según el peso de la razón y no sobre el atractivo sensible.

183 **Sexto punto.** Sexto: hecha esa elección o deliberación, la persona que la ha hecho debe ir con mucha diligencia a la oración delante de Dios nuestro Señor, y ofrecerle esa elección para que su divina majestad la quiera recibir y confirmar, si es su mayor servicio y alabanza.

184 EL SEGUNDO MODO PARA HACER SANTA Y BUENA ELECCIÓN CONTIENE CUATRO REGLAS Y UNA NOTA.

Primera regla. La primera es que aquel amor que me mueve y me hace elegir tal cosa descienda de arriba, del amor de Dios, de forma que el que elige sienta primero en sí que aquel amor mayor o menor que tiene a la cosa que elige es sólo por su Creador y Señor.

185 **Segunda regla.** La segunda: mirar a un hombre que nunca he visto ni conocido, y deseando yo toda su perfección, considerar todo lo que yo le diría que hiciese y eligiese para mayor gloria de Dios nuestro Señor y mayor perfección de su alma, y haciendo yo otro tanto, guardar la forma de proceder que pongo para el otro.

186 **Tercera regla.** La tercera: como si estuviese en el artículo de la muerte, considerar la forma de proceder y la norma que entonces querría haber tenido en el modo de la presente elección; y rigiéndome por esa norma he de tomar mi determinación.

187 **Cuarta regla.** La cuarta: mirando y considerando cómo me hallaré el día del juicio, pensar cómo querría entonces haber deliberado acerca la cosa presente; y la forma de proceder que entonces querría haber tenido, tomarla ahora para que entonces me halle con entero placer y gozo.

188 **Nota.** Tomadas las reglas anteriores para mi salvación y tranquilidad eterna, haré mi elección y oblación a Dios nuestro Señor, conforme al sexto punto del primer modo de hacer elección.

189 PARA ENMENDAR Y REFORMAR LA PROPIA VIDA Y ESTADO.

Es de advertir que acerca de los que están constituidos en dignidad eclesiástica o en matrimonio (sea que tengan mucha abundancia de bienes temporales, o no), cuando no tienen posibilidad, o muy pronta voluntad, para hacer elección de las cosas que caen bajo elección mutable, es muy útil, en lugar de hacer elección, darles modo de proceder para enmendar y reformar la propia vida y estado de cada uno de ellos, es a saber, entregando su propio ser, tipo de vida y estado a la gloria y alabanza de Dios nuestro Señor y salvación de su propia alma. Para venir y llegar a este fin debe considerar y rumiar mucho, por los tiempos y modos de elegir según que está explicado, cuánta gente en casa y a su servicio debe tener, cómo la debe regir y gobernar, cómo la debe enseñar con la palabra y con el ejemplo; asimismo de sus haberes cuánto debe tomar para su familia y casa, y cuánto para dar a pobres y otras obras piadosas, no queriendo ni buscando otra cosa sino en todo y por todo la mayor alabanza y gloria de Dios nuestro Señor. Porque piense cada uno que tanto se aprovechará en todas las cosas espirituales, cuanto salga de su propio amor, querer interés.

Tercera semana

190 **Primer día.** *PRIMERA CONTEMPLACIÓN, A MEDIA NOCHE, SOBRE CÓMO CRISTO NUESTRO SEÑOR FUE DESDE BETANIA A JERUSALÉN A LA ÚLTIMA CENA INCLUSIVE (N. 289). CONTIENE LA ORACION PREPARATORIA, TRES PREÁMBULOS, SEIS PUNTOS Y UN COLOQUIO.*

Oración. La oración preparatoria acostumbrada (n. 46).

191 **Primer preámbulo.** El primer preámbulo es recordar la historia; que es aquí cómo Cristo nuestro Señor desde Betania envió dos discípulos a Jerusalén a preparar todo lo de la cena, y después él mismo fue a ella con los otros discípulos; y cómo, después de haber comido el cordero pascual y haber cenado, les lavó los pies y dio su santísimo cuerpo y preciosa sangre a sus discípulos, y les hizo un sermón después de que Judas fue a vender a su Señor.

192 **Segundo preámbulo.** El segundo, composición viendo el lugar: será aquí considerar el camino

desde Betania a Jerusalén, si es ancho o estrecho, si es llano, etc. Asimismo el lugar de la cena, si es grande o pequeño, si de una forma u otra.

193 **Tercer preámbulo**. El tercero, pedir lo que quiero: será aquí dolor, sentimiento y confusión, porque por mis pecados va el Señor a la Pasión.

194 **Primer punto**. El primer punto es ver las personas de la cena, y reflexionando en mi interior procurar sacar algún provecho de ellas.

Segundo punto. El segundo: oír lo que hablan, y sacar igualmente algún provecho de ello.

Tercer punto. El tercero: mirar lo que hacen y sacar algún provecho.

195 **Cuarto punto**. El cuarto: considerar lo que Cristo nuestro Señor padece en su humanidad o quiere padecer, según el paso que se contempla; y aquí comenzar con mucha fuerza y esforzarse por dolerme, entristecerme y llorar; y trabajar de la misma manera por los otros puntos que siguen.

196 **Quinto punto**. El quinto: considerar cómo la Divinidad se esconde, es a saber, cómo podría destruir a sus enemigos y no lo hace, y cómo

deja que la sacratísima humanidad padezca tan crudelísimamente.

197 **Sexto punto**. El sexto: considerar cómo todo esto lo padece por mis pecados, etc., y qué debo yo hacer y padecer por él.

198 **Coloquio**. Acabar con un coloquio a Cristo nuestro Señor; y al final con un Padrenuestro.

199 **Nota**. Hay que advertir, como antes y en parte está explicado (n. 54), que en los coloquios debemos de hablar y pedir según la materia correspondiente, es a saber, según me halle tentado o consolado y según desee adquirir una virtud u otra, según quiera resolverme a una parte o a otra, según quiera dolerme o gozarme en el misterio que contemplo, en fin, pidiendo aquello que más eficazmente deseo sobre alguna cosa particular; de esta manera el que se ejercita puede hacer un solo coloquio a Cristo nuestro Señor, o si la materia o la devoción le mueve a ello, puede hacer tres coloquios: uno a la Madre, otro al Hijo, otro al Padre, de la misma manera que queda dicho en la segunda semana en la meditación de las dos banderas (n. 147), con la nota que se sigue a los binarios (n. 157).

200 *SEGUNDA CONTEMPLACIÓN, A LA MAÑANA: DESDE LA CENA AL HUERTO INCLUSIVE.*

Oración. La oración preparatoria acostumbrada.

201 **Primer preámbulo**. El primer preámbulo es la historia: será aquí cómo Cristo nuestro Señor descendió con sus once discípulos desde el monte Sión, desde donde tuvo la cena, para el valle de Josafat, dejando a ocho en una parte del valle y los otros tres en una parte del huerto; y poniéndose en oración suda sudor como gotas de sangre; y después de hacer oración tres veces al Padre despertó a sus tres discípulos; y después que a su voz cayeron los enemigos, y Judas le dio el beso de la paz, y San Pedro cortó la oreja a Malco, y Cristo se la puso en su lugar, apresado como malhechor le llevan valle abajo, y después cuesta arriba hacia la casa de Anás.

202 **Segundo preámbulo**. El segundo preámbulo es ver el lugar: será aquí considerar el camino desde el monte Sión al valle de Josafat, y asimismo el huerto, si es ancho, si es largo, si es de una forma u otra.

203 **Tercer preámbulo**. El tercero es pedir lo que quiero, lo apropiado en la Pasión: dolor con Cris-

to doloroso, quebranto con Cristo quebrantado, lágrimas, pena interna de tanta pena que Cristo pasó por mí.

204 **1ª nota**. En esta segunda contemplación, después de hacer la oración preparatoria con los tres preámbulos ya dichos, se tendrá la misma forma de proceder, por los puntos y coloquio, que se tuvo en la primera contemplación de la cena (nn. 194-198); y antes o después de la misa y vísperas se harán dos repeticiones sobre la primera y segunda contemplación; y después, antes de la cena, se aplicarán los cinco sentidos sobre esas dos contemplaciones, siempre poniendo al principio la oración preparatoria y los tres preámbulos, según la materia correspondiente, de la misma forma que está dicho y explicado en la segunda semana (nn. 119, 159).

205 **Segunda nota**. Según ayuden la edad, disposición y temperamento a la persona que se ejercita, ésta hará cada día los cinco ejercicios o menos.

206 **Tercera nota**. En esta tercera semana se cambiarán en parte la segunda y sexta adición; la *segunda* será: nada más despertarse, poner delante de mí adónde voy y a qué, resumir un poco la contemplación que quiero hacer, según el misterio

que sea, y esforzándome, mientras me levanto y me visto, en entristecerme y dolerme de tanto dolor y de tanto padecer de Cristo nuestro Señor.

La *sexta* se cambiará procurando no fomentar pensamientos alegres, aunque buenos y santos, como son los de resurrección y de gloria, antes bien moviéndome a mí mismo a dolor y a pena y quebranto, trayendo a la memoria frecuentemente los trabajos, fatigas y dolores que Cristo nuestro Señor pasó desde el momento que nació hasta el misterio de la Pasión en que en este momento me hallo.

207 **4ª nota.** El examen particular sobre los ejercicios y adiciones presentes se hará como se hizo en la segunda semana.

208 **Segundo día.** El segundo día, a medianoche, la contemplación será desde el huerto a casa de Anás inclusive (n. 291); y a la mañana, de casa de Anás a casa de Caifás inclusive (n. 292); después las dos repeticiones, y se aplicarán los cinco sentidos como ya está dicho (n. 204).

Tercer día. El tercer día, a medianoche, de casa de Caifás a Pilatos inclusive (n. 293); y a la mañana, de Pilatos a Herodes inclusive (n. 294); y después las dos repeticiones y aplicar los sentidos de la misma manera que está ya dicho.

Cuarto día. El cuarto día, a medianoche, de Herodes a Pilatos (n. 295), haciendo la contemplación de los misterios de la casa de Pilatos, hasta la mitad; y después en el ejercicio de la mañana, los otros misterios que quedaron de la misma casa, y después las repeticiones y aplicar los sentidos como está dicho.

Quinto día. El quinto día, a medianoche, de casa de Pilatos hasta que fue puesto en la cruz (n. 296); y a la mañana, desde que fue alzado en cruz hasta que expiró (n. 297); después las dos repeticiones y aplicar los sentidos.

Sexto día. El sexto día, a medianoche, desde el descendimiento de la cruz hasta el sepulcro (n. 298); y a la mañana, desde el sepulcro inclusive hasta la casa donde Nuestra Señora fue después de sepultado su Hijo.

Séptimo día. El séptimo día, contemplación de toda la Pasión en el ejercicio de la medianoche y de la mañana; y en lugar de las dos repeticiones y de la aplicación de los sentidos, considerar durante todo el día, lo más frecuentemente que se pueda, cómo el cuerpo sacratísimo de Cristo nuestro Señor quedó separado y apartado del alma, y dónde y cómo quedó sepultado. Asimismo, considerar la soledad de Nuestra Señora que sufrió tanto dolor y fatiga; después, por otra parte, la de los discípulos.

209 **Nota**. Hay que notar que quien se quiere alargar más en la Pasión ha de tomar en cada contemplación menos misterios, es a saber, en la primera contemplación solamente la cena; en la segunda el lavar los pies; en la tercera el darles el Sacramento; en la cuarta el sermón que Cristo hizo, y así en las otras contemplaciones y misterios.

Asimismo, después de acabada la Pasión, tome como materia durante un día entero la mitad de toda la Pasión, otro día la otra mitad y un tercer día toda la Pasión.

Por el contrario, quien quisiere abreviar más en la Pasión, haga a medianoche la contemplación de la cena; a la mañana el huerto; antes o después de la misa, la casa de Anás; antes o después de las vísperas, la casa de Caifás; en la hora antes de cenar, la casa de Pilatos; de manera que, sin hacer repeticiones ni aplicar los sentidos, haga cada día cinco ejercicios distintos, y en cada ejercicio un misterio distinto, de Cristo nuestro Señor; y después de acabar así toda la Pasión puede dedicar otro día a toda la Pasión, en un ejercicio o en diversos, como más le pareciere que puede serle más provechoso.

210 REGLAS PARA EN ADELANTE ORDENARSE EN EL COMER.

1ª regla. La primera regla es que del pan conviene abstenerse menos que de otros alimentos, porque no es manjar sobre el cual el apetito se suele desordenar, o hacia el cual la tentación incite tanto como hacia los otros manjares.

211 **2ª regla.** La segunda: parece más práctico abstenerse de beber que de comer pan; por tanto se debe mucho mirar lo que hace provecho, para admitirlo, y lo que hace daño para rechazarlo.

212 **3ª regla.** La tercera: acerca de los manjares se debe guardar la abstinencia mayor y más perfecta, porque en esta parte están más prontos el apetito para desordenarse y la tentación para incitar; y así, para evitar desorden, la abstinencia

en los manjares, se puede hacer de dos maneras: una, habituándose a comer manjares comunes; otra, cuando los alimentos son exquisitos, tomándolos en poca cantidad.

213 **4ª regla.** La cuarta: teniendo cuidado de no caer en enfermedad, cuanto más quite uno de lo conveniente, alcanzará más pronto el justo medio que debe tener en su comer y beber, por dos razones: la primera, porque, ayudándose y disponiéndose así, muchas veces experimentará más las noticias interiores, las consolaciones y divinas inspiraciones con que Dios le dará a sentir el justo medio que le conviene; la segunda, porque si la persona que hace esa abstinencia se ve sin tanta fuerza corporal y sin disposición para los ejercicios espirituales, fácilmente vendrá a juzgar lo que conviene más a su sustento corporal.

214 **5ª regla.** La quinta: mientras la persona come, considere como si viera a Cristo nuestro Señor comer con sus apóstoles, y cómo bebe, y cómo mira, y cómo habla, y procure imitarle. De manera que la principal parte del entendimiento se ocupe en la consideración de nuestro Señor, y la menor en la sustentación corporal, para que así

aprenda a tener mayor concierto y orden en el modo como comportarse.

215 **6ª regla.** La sexta: otras veces, mientras come, puede tomar otra consideración, o de vida de santos o de alguna contemplación piadosa o de algún asunto espiritual que haya de resolver; porque estando atenta a eso, hará menos caso del gusto sensible de la comida.

216 **7ª regla.** La séptima: sobre todo evite estar con toda la atención puesta en lo que come, y no coma apresuradamente por el apetito; sino que sea señor de sí mismo, tanto en la manera de comer como en la cantidad que come.

217 **8ª regla.** La octava: para quitar desorden es muy provechoso que después de comer o después de cenar, o en otra hora en la que no se sienta apetito de comer, determine consigo para la siguiente comida o cena, y así sucesivamente para cada día, la cantidad que conviene que coma; y no sobrepase esa cantidad por ningún apetito ni tentación, sino antes bien, para vencer más todo apetito desordenado y tentación del enemigo, si está tentado a comer más, coma menos.

CUARTA SEMANA

218 *PRIMERA CONTEMPLACIÓN: CÓMO CRISTO NUESTRO SEÑOR APARECIÓ A NUESTRA SEÑORA (n. 299).*

Oración. La oración preparatoria acostumbrada.

219 **Primer preámbulo.** El primer preámbulo es la historia, que es aquí cómo después que Cristo expiró en la cruz, y el cuerpo quedó separado del alma y con él siempre unida la Divinidad, su alma bienaventurada, igualmente unida a la Divinidad, descendió al lugar de los muertos; cómo de allí sacó a las almas justas y vino al sepulcro, y cómo, ya resucitado, se apareció en cuerpo y en alma a su bendita Madre.

220 **Segundo preámbulo.** El segundo, composición viendo el lugar: será aquí ver la disposición del santo sepulcro, y el lugar o casa de Nuestra Señora, mirando las partes de la casa en particular; asimismo la habitación, el oratorio, etc.

221 **Tercer preámbulo.** El tercero: pedir lo que quiero; será aquí pedir gracia para alegrarme y gozarme intensamente de tanta gloria y gozo de Cristo nuestro Señor.

222 **Primer punto. Segundo punto. Tercer punto.** El primero, segundo y tercer punto son los mismos que dijimos en la cena de Cristo nuestro Señor (n. 194).

223 **Cuarto punto.** El cuarto: considerar cómo la Divinidad, que parecía esconderse en la Pasión, aparece y se muestra ahora tan milagrosamente en la santísima Resurrección, por los verdaderos y santísimos efectos de ella.

224 **Quinto punto.** El quinto: mirar el oficio de consolar que trae Cristo nuestro Señor, comparando cómo un amigo suele consolar a otro.

225 **Coloquio.** Acabar con un coloquio o coloquios, según la materia correspondiente, y terminar con un Padrenuestro.

226 **1ª nota.** En las contemplaciones siguientes se recorrerán todos los misterios de la Resurrección, de la manera que diremos luego, hasta la Ascensión inclusive, guardando y teniendo en lo restante, en toda la semana de la Resurrección, el mismo modo de proceder que se tuvo en toda la semana de la Pasión. De suerte que por esta primera contemplación de la Resurrección se rija en cuanto a los preámbulos, según la materia correspondiente; en cuanto a los cinco puntos,

sean los mismos; también las adiciones, de las que hablaremos más adelante, sean las mismas; y así en todo lo demás se puede regir por las normas dadas para la semana de la Pasión, por ejemplo en repeticiones, aplicación de los cinco sentidos, en acortar o alargar los misterios, etc.

227 **2ª nota.** La segunda nota: comúnmente en esta cuarta semana es más conveniente que en las otras tres pasadas hacer cuatro ejercicios y no cinco: el primero, nada más levantarse por la mañana; el segundo, antes o después de la misa o antes de comer, en lugar de la primera repetición; el tercero antes o después de vísperas en lugar de la segunda repetición; el cuarto antes de cenar, aplicando los cinco sentidos sobre los tres ejercicios del mismo día, notando y haciendo pausa en las partes más principales y donde haya sentido mayores mociones y gustos espirituales.

228 **3ª nota.** La tercera, aunque en todas las contemplaciones se dio un número fijo de puntos (tres o cinco, etc.), la persona que contempla puede poner más o menos puntos, como le vaya mejor; para lo cual aprovecha mucho calcular y señalar, antes de entrar en la contemplación, los puntos que ha de tomar en número determinado.

229 **4ª nota**. En esta cuarta semana, de las diez adiciones han de cambiarse la segunda, la sexta, la séptima, y la décima.

La 2ª, será: en cuanto me despierte poner enfrente de mí la contemplación que tengo que hacer, queriéndome alegrar con mucho afecto de tanto gozo y alegría de Cristo nuestro Señor.

La 6ª será traer a la memoria y pensar cosas que causan placer, alegría y gozo espiritual, como por ejemplo de gloria.

La 7ª, usar de claridad o de temperaturas favorables (por ejemplo, fresco en verano y sol o calor en invierno), en cuanto el alma piensa o conjetura que la puede ayudar, para gozarse en su Creador y Redentor.

La 10ª, en lugar de la penitencia, mire la templanza y el justo medio en todo, si no es en preceptos de ayunos y abstinencias que la Iglesia mande, porque éstos siempre se han de cumplir, a no ser que haya justo impedimento.

230 *CONTEMPLACIÓN PARA ALCANZAR AMOR.*

Nota. Primero conviene fijarse en dos cosas:

La primera es que el amor se debe poner más en las obras que en las palabras.

231 La segunda, el amor consiste en comunicación de las dos partes, es a saber, en dar y comunicar el amante al amado lo que tiene o de lo que tiene o puede, y así por el contrario el amado al amante; de manera que si uno tiene ciencia dé al que no la tiene, si tiene honores o riquezas, lo mismo; y así el otro recíprocamente.

Oración. La oración acostumbrada.

232 **Primer preámbulo.** El primer preámbulo es composición. Aquí es ver cómo estoy delante de Dios nuestro Señor, de los ángeles, de los santos que interceden por mí.

233 **Segundo preámbulo.** El segundo, pedir lo que quiero: será aquí pedir conocimiento interno de tanto bien recibido, para que reconociéndolo yo enteramente, pueda en todo amar y servir a su divina majestad.

234 **Primer punto.** El primer punto es traer a la memoria los beneficios recibidos de creación, redención y dones particulares, ponderando con mucho afecto cuánto ha hecho Dios nuestro Señor por mí, y cuánto me ha dado de lo que

tiene, y, como consecuencia, cómo el mismo Señor desea dárseme en cuanto puede, según su ordenación divina; y después reflexionar en mi interior, considerando lo que yo con mucha razón y justicia debo de mi parte ofrecer y dar a su divina majestad, es a saber, todas mis cosas y a mí mismo con ellas, así como quien ofrece con mucho afecto:

"Tomad, Señor, y recibid toda mi libertad, mi memoria, mi entendimiento y toda mi voluntad, todo mi haber y mi poseer; Vos me lo disteis, a Vos, Señor, lo torno; todo es vuestro, disponed a toda vuestra voluntad. Dadme vuestro amor y gracia que ésta me basta."

235 **El segundo**, mirar cómo Dios habita en las criaturas: en los elementos dándoles el ser, en las plantas dándoles la vida vegetativa, en los animales la vida sensitiva, en los hombres dándoles también la vida racional, y así en mí dándome el ser, la vida, los sentidos y la inteligencia; asimismo habita en mí haciéndome templo, pues yo he sido creado a semejanza e imagen de su divina majestad; otro tanto reflexionando en mi interior, del modo que está dicho en el primer punto o de otro que sintiere ser mejor. De la misma manera se hará sobre cada uno de los puntos siguientes.

236 **El tercero**, considerar cómo Dios trabaja y labora por mí en todas cosas creadas sobre la faz de la tierra, esto es, se comporta como uno que está trabajando. Así como en los cielos, elementos, plantas, frutos, ganados, etc., dándoles el ser, conservándoles la vida vegetativa y sensitiva, etc. Después, reflexionar en mi interior.

237 **El cuarto,** mirar cómo todos los bienes y dones descienden de arriba, así como mi potencia limitada procede de la suma e infinita de arriba, y así la justicia, bondad, piedad, misericordia, etc., así como del sol descienden los rayos, de la fuente las aguas, etc. Después acabar reflexionando en mi interior según está dicho. Acabar con un coloquio y un Padrenuestro.

238 TRES MODOS DE ORAR. PRIMERO, SOBRE LOS MANDAMIENTOS.

La primera manera de orar es acerca de los diez mandamientos, de los siete pecados capitales, de las tres potencias del alma y de los cinco sentidos corporales. La explicación de esta manera de orar, más que en dar forma o modo alguno de orar, consiste en dar forma, modo y ejercicios para que el alma se prepare y saque provecho de ellos, y para que la oración sea aceptada.

239 Primeramente, hágase el equivalente de la segunda adición de la segunda semana (n. 131), es a saber: ante de entrar en la oración repose un poco el espíritu, sentado o paseándose, como le parecerá mejor, considerando "adónde voy y a qué": y esta misma adición se hará al principio de todos los modos de orar.

240 **Oración.** Una oración preparatoria, como, por ejemplo, pedir gracia a Dios nuestro Señor, para que pueda conocer en qué he faltado acerca de los diez mandamientos; y asimismo pedir gracia y ayuda para enmendarme en adelante, pidiendo perfecta inteligencia de ellos para guardarlos mejor, y para mayor gloria y alabanza de su divina majestad.

241 Para el primer modo de orar conviene considerar y pensar en el primer mandamiento, cómo lo he guardado, y en qué he faltado, teniendo como norma para el tiempo lo que duran tres Padrenuestros y tres Ave Marías; y si en este tiempo hallo faltas mías, pedir remisión y perdón de ellas y decir un Padrenuestro; y hágase de esta misma manera en cada uno de los diez mandamientos.

242 **1ª nota.** Es de notar que cuando uno se pone a pensar en un mandamiento, en el cual ve que no tiene hábito ninguno de pecar, no es menester que se detenga tanto tiempo; pero en la medida en que uno descubre en su interior que tropieza más o menos en aquel mandamiento, así debe detenerse más o menos tiempo en la consideración y examen de él; y guárdese la misma forma de proceder en los pecados capitales.

243 **2ª nota.** Después de acabado el proceso ya dicho sobre todos los mandamientos, acusándome en cada uno de ellos, y pidiendo gracia y ayuda para enmendarme en adelante, se ha de acabar con un coloquio a Dios nuestro Señor, según la materia correspondiente.

244 2º SOBRE LOS PECADOS CAPITALES.

Acerca de los siete pecados capitales, después de la adición (n. 239), hágase la oración preparatoria, de la manera ya dicha (n. 240), cambiando sólo la materia, que aquí es de pecados que se han de evitar, y antes era de mandamientos que se han de guardar; y asimismo guárdese el orden y la forma de proceder ya dicha y hágase el coloquio.

245 Para mejor conocer las faltas cometidas en los pecados capitales, mírense sus contrarios; y así, para evitarlos mejor, proponga y procure la persona con santos ejercicios adquirir y tener las siete virtudes contrarias a ellos.

246 3º SOBRE LAS POTENCIAS DEL ALMA.

Modo. En las tres potencias del alma guárdese el mismo orden y forma de proceder que en los mandamientos, haciendo su adición, oración preparatoria y coloquio.

247 4º SOBRE LOS CINCO SENTIDOS CORPORALES.

Modo. Acerca de los cinco sentidos corporales se tendrá siempre el mismo orden, cambiando la materia conforme a ellos.

248 **Nota.** Quien quiere imitar en el uso de sus sentidos a Cristo nuestro Señor, encomiéndese en la oración preparatoria a su divina majestad; y después de haber considerado cada sentido diga un Ave María o un Padrenuestro; y quien quisiere imitar en el uso de los sentidos a nuestra Señora, en la oración preparatoria encomiéndese a ella, para que le·alcance

gracia de su Hijo y Señor para ello; y después de considerado cada uno de los sentidos, diga un Ave María.

249 EL SEGUNDO MODO DE ORAR ES CONTEMPLANDO LA SIGNIFICACIÓN DE CADA PALABRA DE LA ORACIÓN.

250 **Adición.** La misma adición que se hizo en el primer modo de orar (n. 239) se hará en este segundo.

251 **Oración.** La oración preparatoria se hará conforme a la persona a quien se dirige la oración.

252 **Segundo modo de orar.** El segundo modo de orar es que la persona, de rodillas o sentado, según se halle más dispuesto y como más devoción le acompañe, teniendo los ojos cerrados o fijos en un lugar sin andar con ellos variando, diga "Padre", y esté en la consideración de esta palabra todo el tiempo que halle significaciones, comparaciones, gustos y consolación en consideraciones a propósito de esa palabra; y de la misma manera haga en cada palabra del Padrenuestro, o de otra oración cualquiera con la que quiera orar de esta forma.

253 **1ª regla.** La primera regla es que estará de la manera ya dicha una hora en todo el Padrenuestro; al acabarlo dirá un Ave María, Credo, Alma de Cristo y Salve, vocal o mentalmente, según la manera acostumbrada.

254 **2ª regla.** La segunda regla es que, si la persona que contempla el Padrenuestro hallare en una palabra o en dos tan buena materia que pensar, y gusto y consolación, no se preocupe por pasar adelante, aunque se acabe la hora en aquello que halla; acabada la cual, dirá lo que resta del Padrenuestro en la manera acostumbrada.

255 **3ª regla.** La tercera es que, si en una palabra o en dos del Padrenuestro se detuvo por una hora entera, otro día cuando quiera volver a la oración diga la sobredicha palabra, o las dos, en la manera que acostumbra; y en la palabra que sigue inmediatamente comience a contemplar según se dijo en la segunda regla.

256 **1ª nota.** Es de advertir que, acabado el Padrenuestro en uno o en muchos días, se ha de hacer lo mismo con el Ave María, y después con las otras oraciones, de forma que por algún tiempo se ejercite siempre en una de ellas.

257 **2ª nota.** La segunda nota es que, acabada la oración, dirigiéndose a la persona a quien ha orado, pida en pocas palabras las virtudes o gracias de las que siente tener más necesidad.

258 EL TERCER MODO DE ORAR ES ORAR ACOMPASADAMENTE.

Adición. Se hará la misma adición que en el primero y segundo modo de orar (nn. 239 y 250).

Oración. La oración preparatoria será como en el segundo modo de orar (n. 251).

Tercer modo de orar. El tercer modo de orar es que con cada anhélito o respiración se ha de orar mentalmente diciendo una palabra del Padrenuestro o de otra oración que se rece, de manera que se diga una sola palabra entre una respiración y otra; y mientras dura el tiempo de una respiración a otra hay que fijarse principalmente en la significación de esa palabra, o en la persona a quien se reza, o en la bajeza de sí mismo, o en la diferencia de tanta alteza a tanta bajeza propia; y con el mismo orden y método procederá en las otras palabras del Padrenuestro; y las otras oraciones, es a saber, Ave María, Alma de Cristo, Credo y Salve Regina las dirá en la manera que acostumbra.

259 **1ª regla.** La primera regla es que otro día, o en otra hora en la que quiera orar, diga el Ave María acompasadamente, y las otras oraciones en la manera que acostumbra; después proceda por las otras igualmente.

260 **2ª regla.** La segunda es que quien quisiere detenerse más en la oración acompasada, puede decir todas las sobredichas oraciones, o parte de ellas, siguiendo el mismo método de la oración acompasada, como está explicado (n. 258).

261 LOS MISTERIOS DE LA VIDA DE CRISTO NUESTRO SEÑOR.

Nota. Es de advertir que en todos los misterios siguientes todas las palabras que están entre comillas son del mismo Evangelio; y en cada misterio se pondrán ordinariamente tres puntos para meditar y contemplar en ellos con mayor facilidad.

262 LA ANUNCIACIÓN DE NUESTRA SEÑORA (Lc 1,26-38).

1º El **primer** punto es que el ángel Gabriel, saludando a Nuestra Señora, le anunció la concepción de Cristo nuestro Señor: "Entrando el ángel donde estaba la saludó, diciéndole: Dios te salve, llena de gracia; concebirás en tu seno y darás a luz un hijo."

2º El **segundo**: confirma el ángel lo que dijo a Nuestra Señora anunciando la concepción de San Juan Bautista, diciéndole: "Mira que Isabel, tu parienta, ha concebido un hijo en su vejez."

3º El **tercero**: respondió Nuestra Señora al ángel: "He aquí la esclava del Señor; cúmplase en mí según tu palabra."

263 LA VISITACIÓN DE NUESTRA SEÑORA A ISABEL (Lc 1, 39-56).

1º **Primero**: como Nuestra Señora visitó a Isabel, San Juan Bautista, que estaba en el vientre de su madre, sintió la visita que hizo Nuestra Señora: "Y en cuanto oyó Isabel el saludo de Nuestra Señora, gozóse el niño en su seno, y llena del Espíritu Santo, Isabel exclamó con gran voz y dijo: Bendita tú entre las mujeres y bendito el fruto de tu vientre."

2º **Segundo**: Nuestra Señora canta el cántico diciendo: "Engrandece mi alma al Señor."

3º **Tercero**: "María estuvo con Isabel casi tres meses y después se volvió a su casa."

264 EL NACIMIENTO DE CRISTO NUESTRO SEÑOR (Lc 2, 1-14).

1° **Primero**: Nuestra Señora y su esposo José van de Nazaret a Belén: "Subió José desde Galilea a Belén, para someterse al César, con María, su esposa, que ya estaba encinta."

2° **Segundo**: "Dio a luz a su Hijo primogénito, y lo envolvió en pañales y lo puso en el pesebre."

3° **Tercero**: "Se juntó una multitud del ejército celestial, que decía: Gloria a Dios en el cielo."

265 LOS PASTORES (Lc 2, 8-20).

1° **Primero**: El nacimiento de Cristo nuestro Señor se manifiesta a los pastores por el ángel: "Os anuncio una gran alegría, porque hoy ha nacido el Salvador del mundo."

2° **Segundo**: Los pastores van a Belén: "Fueron a prisa, y encontraron a María y a José y al Niño puesto en el pesebre."

3° **Tercero**: "Los pastores se volvieron glorificando y alabando al Señor."

266 LA CIRCUNCISIÓN (Lc 2, 21-24).

1° **Primero**: Circuncidaron al Niño Jesús.

2º **Segundo**: "Se le dio el nombre de Jesús, el que le dio el ángel antes de ser concebido en el seno."

3º **Tercero**: Devuelven el Niño a su Madre, que tenía compasión de la sangre que salía de su Hijo.

267 LOS TRES REYES MAGOS (Mt 2,1-12).

1º **Primero**: los tres reyes magos, guiándose por la estrella, vinieron a adorar a Jesús, diciendo: "Vimos su estrella en Oriente y venimos a adorarle."

2º **Segundo**: le adoraron y le ofrecieron dones: "Postrándose por tierra le adoraron; y le presentaron dones: oro, incienso y mirra."

3º **Tercero**: "Recibieron respuesta cuando estaban durmiendo que no volvieran donde Herodes; y por otro camino volvieron a su región."

268 LA PURIFICACIÓN DE NUESTRA SEÑORA Y PRESENTACIÓN DEL NIÑO JESÚS (Lc 2,22-39).

1º **Primero**: Traen al Niño Jesús al templo, para que sea presentado al Señor como primogénito, y ofrecen por él "un par de tórtolas o pichones."

2° **Segundo**: Simeón, viniendo al templo, "le tomó en brazos" diciendo: "Ahora, Señor, deja a tu siervo irse en paz."

3° **Tercero**: "Ana, viniendo después, alababa al Señor y hablaba del Niño a todos los que esperaban la redención de Israel."

269 LA HUIDA A EGIPTO (Mt 2,13-18).

1° **Primero**: Herodes quería matar al Niño Jesús, y así mató a los inocentes; y antes de la muerte de ellos avisó el ángel a José que huyese a Egipto: "Levántate, toma al Niño y a su Madre y huye a Egipto."

2° **Segundo**: Partió para Egipto: "Él, levantándose de noche, partió para Egipto."

3° **Tercero**: "Estuvo allí hasta la muerte de Herodes."

270 DE CÓMO NUESTRO SEÑOR REGRESO DE EGIPTO (Mt 2,19-23).

1° **Primero**: el ángel avisa a José para que vuelva a Israel: "Levántate, toma el Niño y a su Madre, y vete a la tierra de Israel."

2° **Segundo**: "Levantándose fue a la tierra de Israel."

3º **Tercero**: Porqüe en Judea reinaba Arquelao, hijo de Herodes, se retiró a Nazaret.

271 LA VIDA DE NUESTRO SEÑOR DESDE LOS DOCE AÑOS HASTA LOS TREINTA (Lc 2,51-52).

1º **Primero**: Era obediente a sus padres.

2º **Segundo**: "Aprovechaba en sabiduría, edad y gracia."

3º **Tercero**: Parece que ejercía oficio de carpintero, como muestra indicar San Marcos en el capítulo sexto (6,3): "¿No es éste aquel carpintero?"

272 LA IDA DE CRISTO AL TEMPLO CUANDO TENIA DOCE AÑOS DE EDAD (Lc 2,41-50).

1º **Primero**: Cristo nuestro Señor a la de edad de doce años subió de Nazaret a Jerusalén.

2º **Segundo**: Cristo nuestro Señor se quedó en Jerusalén sin que lo supieran sus padres.

3º **Tercero**: Pasados tres días lo hallaron disputando en el templo, sentado en medio de los doctores; y al preguntarle sus padres dónde había estado, respondió: "¿No sabéis que me conviene estar en las cosas de mi Padre?"

273 DE CÓMO CRISTO FUE BAUTIZADO (Mt 3,13-17).

1° **Primero**: Cristo nuestro Señor, después de haberse despedido de su bendita Madre, fue desde Nazaret al río Jordán, donde estaba Juan Bautista.

2° **Segundo**: San Juan bautizó a Cristo nuestro Señor, cuando se excusaba por considerarse indigno de bautizarlo, dícele Cristo: "Haz esto ahora, porque así es menester que cumplamos toda justicia."

3° **Tercero**: "Vino el Espíritu Santo, y la voz del Padre desde el cielo, afirmando: Este es mi Hijo amado, del que estoy muy satisfecho."

274 DE CÓMO CRISTO FUE TENTADO (Lc 4,1-13; Mt 4,1-11).

1° **Primero**: Después de haberse bautizado fue al desierto, donde ayunó cuarenta días y cuarenta noches.

2° **Segundo**: Fue tentado por el enemigo tres veces: "Llegándose a él el tentador le dice: Si eres

Hijo de Dios, di que estas piedras se conviertan en pan; tírate de aquí abajo; todo esto que ves te lo daré, si postrado en tierra me adoras."

3º **Tercero**: "Vinieron los ángeles y le servían."

275 EL LLAMAMIENTO DE LOS APÓSTOLES (Mt 4,18-22; 9,9; 10,1-4; Mc 1,16-20; 3,13-19; 2,13-14; Lc 5,1-11. 27-32; 6,12-16; Jn 1,35-51).

1º **Primero**: Parece que tres veces son llamados San Pedro y San Andrés: primero a cierta noticia; esto consta por San Juan en el primer capítulo; segundo, a seguir en alguna manera a Cristo con intención de volver a poseer lo que habían dejado, como dice San Lucas en el capítulo quinto; tercero, para seguir para siempre a Cristo nuestro Señor: San Mateo en el capítulo cuarto, y San Marcos en el primero.

2º **Segundo**: Llamó a Felipe, como está en el primer capítulo de San Juan; y a Mateo, como el mismo Mateo dice en el capítulo noveno.

3º **Tercero**: Llamó a lo otros apóstoles, de cuya especial vocación no hace mención el evangelio.

Y se han de considerar también otras tres cosas: la primera, cómo los apóstoles eran de ruda y baja condición; la segunda, la dignidad a la cual fueron tan suavemente llamados; la tercera, los dones y gracias por las cuales fueron elevados sobre todos los patriarcas del Antiguo y los santos del Nuevo Testamento.

276 EL PRIMER MILAGRO HECHO EN LAS BODAS DE CANA DE GALILEA (Jn 2, 1-11).

1° **Primero**: Fue convidado Cristo nuestro Señor con sus discípulos a las bodas.

2° **Segundo**: La Madre expone al Hijo la falta del vino, diciendo: “No tienen vino”; y mandó a los sirvientes: “Haced cualquier cosa que os diga.”

3° **Tercero**: “Convirtió el agua en vino, y manifestó su gloria, y creyeron en él sus discípulos.”

277 DE CÓMO CRISTO ECHÓ FUERA DEL TEMPLO A LOS QUE VENDÍAN (Jn 2,13-22).

1° **Primero**: Echó fuera del templo a todos los que vendían, con un azote hecho de cuerdas.

2° **Segundo**: Volcó las mesas y dineros de los banqueros ricos que estaban en el templo.

3º **Tercero**: A los pobres que vendían palomas mansamente dijo: "Quitad esto de aquí. No hagáis de mi Casa casa de mercado."

278 EL SERMÓN QUE HIZO CRISTO EN EL MONTE (Mt 5).

1º **Primero**: Habla aparte, a sus amados discípulos, de las ocho bienaventuranzas: "Bienaventurados los pobres de espíritu, los mansos, los misericordiosos, los que lloran, los que pasan hambre y sed por la justicia, los limpios de corazón, los pacíficos, y los que padecen persecuciones."

2º **Segundo**: Los exhorta para que usen bien de sus talentos: "Brille así vuestra luz delante de los hombres, para que vean vuestras buenas obras y glorifiquen vuestro Padre que está en los cielos."

3º **Tercero**: Se muestra no transgresor de la ley, sino consumador de ella, declarando el precepto de no matar, no fornicar, no perjurar, y de amar los enemigos: "Yo os digo a vosotros que améis a vuestros enemigos y hagáis bien a los que os aborrecen."

279 DE CÓMO CRISTO NUESTRO SEÑOR SOSEGÓ LA TEMPESTAD DEL MAR (Mt 8,23-27).

1° **Primero:** Estando Cristo nuestro Señor durmiendo en la barca, en el mar se levantó una gran tempestad.

2° **Segundo:** Sus discípulos, atemorizados, lo despertaron, y él los reprende por la poca fe que tenían, diciéndoles: "¿Qué teméis, apocados de fe?"

3° **Tercero:** Mandó a los vientos y al mar que cesasen, y así al cesar el viento quedó tranquilo el mar; de lo cual se maravillaron los hombres, diciendo: "¿Quién es éste, a quien el viento y el mar obedecen?"

280 DE CÓMO CRISTO ANDABA SOBRE EL MAR (Mt 14,22-33; Mc 6,45-52; Jn 6,15-21).

1° **Primero:** Estando Cristo nuestro Señor en el monte, hizo que sus discípulos se fuesen a la navecilla, y despedida la muchedumbre, comenzó a hacer oración solo.

2° **Segundo:** La navecilla era combatida por las olas. Cristo fue hacia ella andando sobre el agua, y los discípulos pensaban que era un fantasma.

3° **Tercero**: Al decirles Cristo: "Yo soy, no temáis", San Pedro por su mandamiento fue a él andando sobre el agua; dudando, comenzó a sumergirse, pero Cristo nuestro Señor lo libró, y lo reprendió por su poca fe. Y después, entrando en la navecilla, cesó el viento.

281 DE COMO LOS APÓSTOLES FUERON ENVIADOS A PREDICAR (Mt 10,1-16; Mc 6,7-13).

1° **Primero**: Cristo llama a sus amados discípulos, y les da potestad de echar los demonios de los cuerpos humanos y curar todas las enfermedades.

2° **Segundo**: Los adoctrina sobre la prudencia y paciencia: "Mirad que os envío a vosotros como ovejas en medio de lobos; por tanto, sed prudentes como serpientes, y sencillos como palomas."

3° **Tercero**: Les dice el modo de ir: "No queráis poseer oro ni plata; lo que gratuitamente recibís, dadlo gratuitamente"; y les dio materia para predicar: "Id y predicad, diciendo: ya se ha acercado el reino de los cielos."

282 LA CONVERSIÓN DE LA MAGDALENA (Lc 7,36-50).

1° **Primero**: Entra la Magdalena adonde está Cristo nuestro Señor sentado a la mesa en casa del fariseo; y traía un vaso de alabastro lleno de ungüento.

2° **Segundo**: Estando detrás del Señor, cerca de sus pies, con lágrimas los comenzó a regar, y con los cabellos de su cabeza los enjugaba, los besaba, y con ungüento los ungía.

3° **Tercero**: Como el fariseo acusase a la Magdalena, habla Cristo en defensa de ella, diciendo: "Se le perdonan muchos pecados, porque ha amado mucho"; y dijo a la mujer: "Tu fe te ha salvado, vete en paz."

283 DE CÓMO CRISTO NUESTRO SEÑOR DIO DE COMER A CINCO MIL HOMBRES (Mt 14,13-21; Mc 6,30-44; Lc 9,10-17; Jn 6,1-13).

1° **Primero**: Los discípulos, como ya se hacía tarde, ruegan a Cristo que despida a la multitud de hombres que con él estaban.

2° **Segundo**: Cristo nuestro Señor mandó que le trajesen panes; y "mandó que se sentasen para comer, bendijo los panes, los partió, y los dio a sus discípulos, y los discípulos a la multitud.

3° **Tercero**: Comieron y se hartaron; y sobraron doce espuertas.

284 LA TRANSFIGURACIÓN DE CRISTO (Mt 17,1-9; Mc 9,1-8; Lc 9,28-36; 2 Pe 1,16-28).

1° **Primero**: Cristo nuestro Señor, tomando en su compañía a sus amados discípulos Pedro, Santiago y Juan, se transfiguró, y su cara resplandecía como el sol y sus vestiduras como la nieve.

2° **Segundo**: Hablaba con Moisés y Elías.

3° **Tercero**: Al decir San Pedro que hiciesen tres tiendas, sonó una voz del cielo que decía: "Este es mi Hijo amado, oídle"; cuando los discípulos oyeron aquella voz, llenos de temor cayeron rostro a tierra; Cristo nuestro Señor les tocó y les dijo: "Levantaos y no tengáis temor; a ninguno digáis esta visión, hasta que el Hijo del hombre resucite."

285 LA RESURRECCIÓN DE LÁZARO (Jn 11,1- 45)

1° **Primero**: Marta y María hacen saber a Cristo nuestro Señor la enfermedad de Lázaro; él, cuando lo supo, se detuvo por dos días, para que el milagro fuese más evidente.

2º **Segundo**: Antes de resucitarlo, pide a una y a otra que crean, diciendo: "Yo soy la resurrección y la vida; el que cree en mí, aunque esté muerto, vivirá."

3º **Tercero**: Lo resucita después de haber llorado y hecho oración; y la manera de resucitarlo fue mandando: "Lázaro, ven fuera."

286 LA CENA EN BETANIA (Mt 26,6-10; Mc 14,3-6; Jn 12,1-8).

1º **Primero**: El Señor cena en casa de Simón el leproso, juntamente con Lázaro.

2º **Segundo**: María derrama el ungüento sobre la cabeza de Cristo.

3º **Tercero**: Judas murmura diciendo: "¿Para qué es este derroche de ungüento?"; pero él excusa otra vez a Magdalena, diciendo: "¿Por qué molestáis a esta mujer, pues ha hecho una obra buena conmigo?"

287 DOMINGO DE RAMOS, (Mt 21,1-17; Mc 11,1-10; Lc 19,29-38; Jn 12,12-19).

1° **Primero**: El Señor envía por la borriquilla y el pollino, diciendo: "Desatadlos y traédmelos; y si alguno os dijere alguna cosa, decid que el Señor los necesita, y luego los dejará."

2° **Segundo**: Jesús subió sobre la borriquilla cubierta con las vestiduras de los apóstoles.

3° **Tercero**: Lo salen a recibir tendiendo sobre el camino sus vestiduras y los ramos de los árboles, y diciendo: "Sálvanos, Hijo de David; bendito el que viene en nombre del Señor. Sálvanos en las alturas."

288 LA PREDICACIÓN DE JESÚS EN EL TEMPLO (Lc 19,47-48; 21,37; 22,53; Mc 11,11).

1° **Primero**: Jesús estaba cada día enseñando en el templo.

2° **Segundo**: Acabada la predicación se volvía a Betania, porque no había quién lo recibiese en Jerusalén.

289 LA CENA (Mt 26,20-30; Jn 13,1-38; Mc 14,12-16; Lc 22,7-38).

1° **Primero**: Jesús comió el cordero pascual con sus doce apóstoles, a los cuales les predijo su muerte: "En verdad os digo que uno de vosotros me ha de vender."

2º **Segundo**: Lavó los pies de los discípulos, hasta los de Judas, comenzando por San Pedro, el cual, considerando la majestad del Señor y su propia bajeza, no queriendo consentirlo, decía: "Señor, ¿tú me lavas a mí los pies?"; pero San Pedro no sabía que en aquello daba Jesús ejemplo de humildad, y por eso Jesús dijo: "Yo os he dado ejemplo, para que hagáis como yo hice."

3º **Tercero**: Instituyó el sacratísimo sacrificio de la Eucaristía, en grandísima señal de su amor, diciendo: "Tomad y comed". Acabada la cena, Judas sale a vender a Cristo nuestro Señor.

290 MISTERIOS DESDE LA CENA HASTA EL HUERTO INCLUSIVE (Mt 26,30-46; Mc 14,26-42; Lc 22,39-46; Jn 18,1).

1º **Primero**: El Señor, acabada la cena y cantando el himno, se fue al monte de los Olivos con sus discípulos llenos de miedo; y dejó ocho en Getsemaní, diciendo: "Sentaos aquí mientras voy allí a orar."

2º **Segundo**: Acompañado de San Pedro, Santiago y San Juan, oró tres veces al Señor, diciendo: "Padre, si se puede hacer, pase de mí este cáliz; con todo, no se haga mi voluntad, sino la tuya; y estando en agonía oraba con más intensidad."

3º **Tercer**: Llegó a tanto temor, que decía: "Triste está mi alma hasta la muerte"; y sudó sangre tan copiosa, que dice San Lucas: "Su sudor era como gotas de sangre que corrían en tierra", lo cual ya supone estar las vestiduras llenas de sangre.

291 MISTERIOS DESDE EL HUERTO HASTA LA CASA DE ANÁS, INCLUSIVE (Mt 26,47-58. 69-70; Lc 22,47-57; Mc 14,43-54. 66-68; Jn 18,2-23).

1º **Primero**: el Señor se deja besar por Judas, y prender como ladrón. Y dijo a quienes lo apresaban: "Como a ladrón me habéis salido a prender, con palos y armas, cuando cada día estaba con vosotros en el templo, enseñando, y no me prendisteis.". Y diciendo: "¿A quién buscáis?", cayeron en tierra los enemigos.

2º **Segundo**: San Pedro hirió a un siervo del pontífice, pero el manso Señor le dijo: "Torna tu espada a su lugar", y sanó la herida del siervo.

3º **Tercero**: Desamparado de sus discípulos es llevado a Anás, adonde San Pedro que le había seguido desde lejos lo negó una vez, y a Cristo le fue dada una bofetada diciéndole: "¿Así respondes al Pontífice?."

292 MISTERIOS DESDE LA CASA DE ANÁS HASTA LA CASA DE CAIFÁS INCLUSIVE (Mt 26,58-75; Mc 14,53-65; Lc 22,54-65; Jn 18,24-27).

1º **Primero**: Lo llevan atado desde casa de Anás a casa de Caifás, adonde San Pedro lo negó dos veces; y habiéndolo mirado el Señor "saliendo fuera, lloró amargamente."

2º **Segundo**: Estuvo Jesús toda aquella noche atado.

3º **Tercero**: Además de esto los que lo tenían preso se burlaban de él, lo herían, le cubrían la cara y le daban bofetadas; y le preguntaban: "Profetízanos, ¿quién es el que te hirió?; y otras injurias semejantes proferían contra él."

293 MISTERIOS DESDE LA CASA DE CAIFÁS HASTA LA DE PILATOS INCLUSIVE (Mt 27,1-2. 11-26; Lc 23, 1-5. 13-25; Jn 18,28-40).

1° **Primero**: Toda la multitud de los judíos lo llevan a Pilatos y delante de él lo acusan diciendo: "A éste lo hemos hallado echando a perder a nuestro pueblo, y prohibiendo pagar tributo al César."

2° **Segundo**: Pilatos, después de haberle examinado una y otra vez, dice: "Yo no hallo culpa ninguna."

3° **Tercero**: Fue preferido Barrabás, que era ladrón: "Dieron voces todos diciendo: no dejes libre a éste, sino a Barrabás."

294 MISTERIOS DESDE CASA DE PILATOS HASTA LA DE HERODES (Lc 23,6-11).

1° **Primero**: Pilatos envió a Jesús, que era galileo, a Herodes, tetrarca de Galilea.

2° **Segundo**: Herodes, curioso, le preguntó largamente; y Él ninguna cosa le respondía, aunque los escribas y sacerdotes lo acusaban constantemente.

3° **Tercero**: Herodes lo despreció con su ejército, vistiéndole con una vestidura blanca.

295 MISTERIOS DESDE CASA DE HERODES HASTA LA DE PILATOS (Mt 27,26-30; Lc 23,11-25; Mc 15,15-20; Jn 19,1-6).

1° **Primero**: Herodes lo vuelve a enviar a Pilatos; por lo cual se hacen amigos, pues antes estaban enemistados.

2° **Segundo**: Pilatos tomó a Jesús y lo mandó a azotar. Y los soldados hicieron una corona de espinas y la pusieron sobre su cabeza, y lo vistieron de púrpura, y se acercaban a él y decían: "Dios te salve, rey de los judíos"; y le daban bofetadas.

3° **Tercero**: Pilatos lo sacó fuera en presencia de todos: Salió, pues, Jesús fuera, coronado de espinas y vestido de grana; y díjoles Pilatos: "He aquí el hombre"; y los pontífices, al verlo, daban voces, diciendo: "Crucifícalo, crucifícalo".

296 MISTERIOS DESDE CASA DE PILATO HASTA LA CRUZ INCLUSIVE (Jn 19,13-22; Mt 27,26.31-33.38; Mc 15,20-22.26-28; Lc 23,24-26. 32-33.38).

1° **Primero**: Pilatos, sentado como juez, les entregó a Jesús, para que lo crucificasen, después que los judíos lo habían negado por rey diciendo: "No tenemos rey sino a César."

2° **Segundo**: Jesús llevaba la cruz a cuestas, y no pudiéndola llevar, Simón de Cirene fue constreñido a llevarla detrás de Jesús.

3º **Tercero**: lo crucificaron en medio de dos ladrones, poniendo este título: "Jesús Nazareno, rey de los judíos."

297 MISTERIOS CUANDO CRISTO ESTUVO EN LA CRUZ (Jn 19,23-37; Mt 27,35-36.39-52; Mc 15,24-38; Lc 23,34-46).

1º **Primero**: Jesús habló siete palabras en la cruz: rogó por los que lo crucificaban; perdonó al ladrón; encomendó a San Juan a su Madre, y a la Madre a San Juan; dijo en alta voz: "Tengo sed", y le dieron hiel y vinagre; dijo que estaba desamparado; dijo: "Todo está cumplido"; dijo: "Padre, en tus manos encomiendo mi espíritu."

2º **Segundo**: El sol se oscureció, las piedras se quebraron; los sepulcros se abrieron, el velo del templo se rasgó de arriba abajo en dos partes.

3º **Tercero**: Le blasfemaban diciendo: "Tú eres el que destruyes el templo de Dios; baja de la cruz"; dividieron sus vestiduras; herido con la lanza, su costado manó agua y sangre.

298 MISTERIOS DESDE LA CRUZ HASTA EL SEPULCRO INCLUSIVE (Jn 19,38-43; Mt 27,55-56; Mc 15,40-47; Lc 23,49-55).

1º **Primero**: Fue quitado de la cruz por José y Nicodemo, en presencia de su Madre dolorosa.

2º **Segundo**: El cuerpo fue llevado al sepulcro, fue ungido y sepultado.

3º **Tercero**: Pusieron guardia al sepulcro.

299 LA RESURRECCIÓN DE CRISTO NUESTRO SEÑOR. PRIMERA APARICIÓN.

1º **Primero**: Se apareció a la Virgen María. Esto, aunque no se diga en la Escritura, se da por supuesto al decir que se apareció a tantos otros; porque la Escritura supone que tenemos entendimiento, como está escrito: "¿También vosotros estáis sin entendimiento?"

300 SEGUNDA APARICIÓN (Mc 16,1-11; Mt 28,1-7; Lc 24,1-8; Jn 20,1.11-17).

1º **Primero**: Van muy de mañana María Magdalena, María la de Santiago y Salomé al sepulcro, diciendo: "¿Quién nos alzará la piedra de la puerta del sepulcro?"

2º **Segundo**: Ven la piedra alzada y al ángel que les dice: "Buscáis a Jesús Nazareno; ya está resucitado, no está aquí."

3º **Tercero**: Se apareció a María Magdalena, que se había quedado cerca del sepulcro, después de irse las otras.

301 TERCERA APARICIÓN (Mt 28,8-10; Mc 16,8-11; Lc 24,9-11.22-23).

1º **Primero**: Salen estas Marías del sepulcro con gran temor y gozo, queriendo anunciar a los discípulos la resurrección del Señor.

2º **Segundo**: Cristo nuestro Señor se les apareció en el camino, diciéndoles: "Dios os salve"; y ellas llegaron y se pusieron a sus pies y lo adoraron.

3º **Tercero**: Jesús les dice: "No temáis; id y decid a mis hermanos que vayan a Galilea, porque allí me verán."

302 CUARTA APARICIÓN (Lc 24,9-12; 33-34; Jn 20,1-10; 1 Cor 15,5).

1º **Primero**: Al oír a las mujeres que Cristo había resucitado, fue enseguida San Pedro al sepulcro.

2º **Segundo**: Entrando en el sepulcro vio solos los paños con que había estado cubierto el cuerpo de Cristo nuestro Señor, y no vio otra cosa.

3º **Tercero**: Pensando San Pedro en estas cosas se le apareció Cristo; y por eso los apóstoles decían: "Verdaderamente el Señor ha resucitado y se ha aparecido a Simón."

303 QUINTA APARICIÓN (Lc 24,13-35; Mc 16,12-13).

1º **Primero**: Se aparece a los discípulos, que iban a Emaús hablando de Cristo.

2º **Segundo**: Los reprende, mostrando por las Escrituras que Cristo había de morir y resucitar: "¡Oh necios y tardos de corazón para creer todo lo que han hablado los profetas! ¿No era necesario que Cristo padeciese, y entrase así en su gloria?"

3º **Tercero**: Por ruego de ellos se detiene allí, y estuvo con ellos hasta que, nada más darles de comulgar, desapareció. Ellos volvieron a Jerusalén y dijeron a los discípulos cómo lo habían conocido en la comunión.

304 SEXTA APARICIÓN (Jn 20,19-23; Mc 16,14; Lc 24,36-43; Hch 10,40-41; 1 Cor15,5).

1º **Primero**: Los discípulos estaban congregados "por el miedo de los judíos", excepto Santo Tomás.

2º **Segundo:** Se les apareció Jesús estando las puertas cerradas, y colocándose en medio de ellos dice: "Paz con vosotros."

3º **Tercero:** Les da el Espíritu Santo, diciéndoles: "Recibid el Espíritu Santo; a aquellos a quienes perdonéis los pecados, les serán perdonados."

305 SEPTIMA APARICIÓN (Jn 20,24-29).

1º **Primero:** Santo Tomás, incrédulo, porque estaba ausente cuando la aparición precedente, dice: "Si no lo viere, no lo creeré."

2º **Segundo:** Se les aparece Jesús después de ocho días, estando cerradas las puertas, y dice a Santo Tomás: "Mete aquí tu dedo y ve la verdad, y no seas incrédulo, sino fiel."

3º **Tercero:** Santo Tomás creyó, diciendo: "Señor mío y Dios mío." Y Cristo le dijo: "Bienaventurados los que no vieron y creyeron."

306 OCTAVA APARICIÓN (Jn 21,1-17).

1º **Primero:** Jesús se aparece a siete de sus discípulos que estaban pescando; en toda la noche no habían pescado nada, y echando la red por su mandato "no podían sacarla por la muchedumbre de peces."

2º **Segundo**: Por este milagro San Juan lo conoció, y dijo a San Pedro: "Es el Señor". San Pedro se echó al mar y fue donde estaba Cristo.

3º **Tercero**: Les dio de comer "parte de un pez asado y un panal de miel"; y encomendó las ovejas a San Pedro, habiéndole examinado primero tres veces sobre la caridad, y le dijo: "Apacienta mis ovejas."

307 NOVENA APARICIÓN (Mt 28,16-20; Mc 16, 15-18).

1º **Primero**: Los discípulos, por mandato del Señor, van al monte Tabor.

2º **Segundo**: Cristo se les aparece y dice: "Me ha sido dada toda potestad en el cielo y en la tierra."

3º **Tercero**: Los envió por todo el mundo a predicar, diciendo: "Id y enseñad a todas las gentes bautizándolas en nombre del Padre y del Hijo y del Espíritu Santo."

308 DÉCIMA APARICIÓN (1 Cor 15, 6).

"Después fue visto por más de quinientos hermanos juntos."

309 UNDÉCIMA APARICIÓN (1 Cor 15,7).

"Se apareció después a Santiago."

310 DUODÉCIMA APARICIÓN.

Se apareció a José de Arimatea, como piadosamente se medita y se lee en la vida de los Santos.

311 DECIMOTERCERA APARICIÓN (1 COR 15,8).

Se apareció a San Pablo después de la Ascensión: "Finalmente, se me apareció a mí como abortivo."

También se apareció en alma a los santos padres del limbo; y después de sacarlos y de haber vuelto a tomar el cuerpo, se apareció muchas veces a los discípulos y conversaba con ellos.

312 DE LA ASCENSIÓN DE CRISTO NUESTRO SEÑOR (Hch 1,1-12; Mc 16,19-20; Lc 24,44-52; 1 Pe 3,32).

1° **Primero**: Después que por espacio de cuarenta días se apareció a los apóstoles, dándoles muchas pruebas y señales y hablando del reino de Dios, les mandó que esperasen en Jerusalén el Espíritu Santo prometido.

2º **Segundo**: Los llevó al monte de los Olivos "y en presencia de ellos fue elevado y una nube lo hizo desaparecer de los ojos de ellos."

3º **Tercero**: Estando ellos mirando al cielo les dicen los ángeles: "Varones galileos, ¿qué estáis mirando al cielo?, éste Jesús que ha sido llevado de vuestros ojos al cielo, vendrá como le habéis visto ir al cielo."

313 REGLAS PARA SENTIR Y CONOCER DE ALGUNA MANERA LAS VARIAS MOCIONES QUE SE PRODUCEN EN EL ALMA: LAS BUENAS, PARA RECIBIRLAS, Y LAS MALAS PARA RECHAZARLAS. SON MÁS PROPIAS PARA LA PRIMERA SEMANA.

314 **1ª regla**. La primera regla: en las personas que van de pecado mortal en pecado mortal, acostumbra comúnmente el enemigo proponerles placeres aparentes, haciéndoles imaginar deleites y placeres de los sentidos, para conservarlos y hacerlos crecer en sus vicios y pecados; en dichas personas el buen espíritu actúa de modo contrario, punzándoles y remordiéndoles las conciencias por el juicio recto de la razón.

315 **2ª regla.** La segunda: en las personas que van intensamente purgando sus pecados, y de bien en mejor subiendo en el servicio de Dios nuestro Señor, sucede de modo contrario al de la primera regla; porque entonces es propio del mal espíritu morder (con escrúpulos), entristecer y poner obstáculos, inquietando con falsas razones para que no pase adelante; y propio del buen espíritu es dar ánimo y fuerzas, consolaciones, lágrimas, inspiraciones y quietud, facilitando y quitando todos los impedimentos, para que siga adelante en el bien obrar.

316 **3ª regla.** La tercera, de consolación espiritual: llamo *consolación* cuando en el alma se produce alguna moción interior, con la cual viene la alma a inflamarse en amor de su Creador y Señor, y como consecuencia ninguna cosa creada sobre la faz de la tierra puede amar en sí, sino en el Creador de todas ellas. También es consolación cuando derrama lágrimas que mueven a amar a su Señor, sea por el dolor de sus pecados, o de la Pasión de Cristo nuestro Señor, o de otras cosas ordenadas derechamente a su servicio y alabanza. Finalmente, llamo *consolación* todo aumento de esperanza, fe y caridad y toda alegría interna que llama y atrae a las cosas celestiales y a la propia salud de su alma, aquietándola y pacificándola en su Creador y Señor.

317 **4ª regla.** La cuarta, de desolación espiritual. Llamo *desolación* todo lo contrario de la tercera regla; así como oscuridad del alma, turbación en ella, inclinación por las cosas bajas y terrenas, inquietud de varias agitaciones y tentaciones, moviendo a desconfianza, sin esperanza, sin amor, hallándose el alma toda perezosa, tibia, triste y como separada de su Creador y Señor. Porque así como la consolación es contraria a la desolación, de la misma manera los pensamientos que salen de la consolación son contrarios a los pensamientos que salen de la desolación.

318 **5ª regla.** La quinta: en tiempo de desolación nunca hacer cambio, sino estar firme y constante en los propósitos y determinación en que estaba el día anterior a esa desolación, o en la determinación en que estaba en la anterior consolación. Porque así como en la consolación nos guía y aconseja más el buen espíritu, así en la desola-

ción el malo, con cuyos consejos no podemos tomar camino para acertar.

319 6ª **regla.** La sexta: dado por supuesto que en la desolación no debemos cambiar los primeros propósitos, aprovecha mucho reaccionar intensamente contra la misma desolación, como, por ejemplo, insistir más en la oración y meditación, en examinarse mucho, y en alargarnos en algún modo conveniente de hacer penitencia.

320 7ª **regla.** La séptima: el que está en desolación, considere cómo el Señor le ha dejado en prueba con sus facultades naturales, para que resista a las varias agitaciones y tentaciones del enemigo; pues puede con el auxilio divino, el cual siempre le queda, aunque no lo sienta claramente, porque el Señor le ha quitado su mucho fervor, crecido amor y gracia intensa, quedándole, sin embargo gracia suficiente para la salvación.

321 8ª **regla.** La octava: el que está en desolación, trabaje por mantenerse en paciencia, que es contraria a las molestias que le vienen, y piense que será pronto consolado, con tal de que ponga las diligencias contra esa desolación, como está dicho en la sexta regla.

322 **9ª regla.** La novena: tres son las causas principales por las que nos hallamos desolados: la primera es por ser tibios, perezosos o negligentes en nuestros ejercicios espirituales, y así por nuestras faltas se aleja la consolación espiritual de nosotros. La segunda, por probarnos para cuánto valemos y hasta dónde nos extendemos en su servicio y alabanza, sin tanta paga de consolaciones y crecidas gracias. La tercera, a fin de darnos verdadera noticia y conocimiento, a saber, para que sintamos internamente que no depende de nosotros traer o tener devoción crecida, amor intenso, lágrimas ni alguna otra consolación espiritual, sino que todo es don y gracia de Dios nuestro Señor; y para que en cosa ajena no pongamos nido, alzando nuestro entendimiento a alguna soberbia o vanagloria, atribuyendo a nosotros la devoción o los otros efectos de la consolación espiritual.

323 **10ª regla.** La décima: el que está en consolación piense cómo deberá actuar en la desolación que vendrá después y tome nuevas fuerzas para entonces.

324 **11ª regla.** La undécima: el que está consolado procure humillarse y abajarse cuanto pueda,

pensando para qué poco vale en el tiempo de la desolación, sin esa gracia o consolación. Por el contrario, el que está en desolación piense que, con la gracia suficiente, puede mucho para resistir a todos sus enemigos, si toma fuerzas en su Creador y Señor.

325 **12ª regla.** La duodécima: el enemigo se hace como mujer en que es débil ante la fuerza y fuerte ante la condescendencia. Porque así como es propio de la mujer, cuando riñe con algún varón, perder ánimo y huir cuando el hombre le muestra mucho rostro; y por el contrario, si el varón comienza a huir perdiendo ánimo, la ira, venganza y ferocidad de la mujer es muy crecida y tan desmesurada; de la misma manera es propio del enemigo debilitarse y perder ánimo, huyendo sus tentaciones, cuando la persona que se ejercita en las cosas espirituales pone mucho rostro contra las tentaciones del enemigo, haciendo lo diametralmente opuesto; y por el contrario, si la persona que se ejercita comienza a tener temor y perder ánimo en sufrir las tentaciones, no hay bestia tan fiera sobre la faz de la tierra como el enemigo de la naturaleza humana, cuando intenta realizar su dañina intención con tan crecida malicia.

326 **13ª regla.** La decimotercera: asimismo se comporta como vano enamorado en querer mantenerse secreto y no ser descubierto; porque así como el hombre vano, que hablando con mala intención requiere a una hija de buen padre o una mujer de buen marido, quiere que sus palabras e insinuaciones estén secretas; y lo contrario le disgusta mucho, cuando la hija al padre o la mujer al marido descubre sus vanas palabras e intención pervertida, porque fácilmente deduce que no podrá salir con la empresa comenzada: de la misma manera, cuando el enemigo de la naturaleza humana presenta sus astucias e insinuaciones al alma justa, quiere y desea que sean recibidas y tenidas en secreto; pero le pesa mucho cuando las descubre a su buen confesor o a otra persona espiritual que conozca sus engaños y malicia; porque deduce que, al descubrirse sus engaños manifiestos, no podrá salir con el malvado plan que había comenzado.

327 **14ª regla.** La decimocuarta: asimismo, se comporta como un caudillo para conquistar y robar lo que desea; porque así como un capitán y caudillo de un ejército en campaña, asentando su campamento y mirando las fuerzas o dispo-

siciones de un castillo le combate por la parte más débil, de la misma manera el enemigo de la naturaleza humana, rodeando mira en torno todas nuestras virtudes teologales, cardinales y morales; y por donde nos halla más débiles y más necesitados para nuestra salvación eterna, por allí nos combate y procura tomarnos.

328 REGLAS PARA EL MISMO EFECTO CON MAYOR DISCRECIÓN DE ESPÍRITUS. SON MÁS PROPIAS PARA LA SEGUNDA SEMANA.

329 **1ª regla.** La primera: es propio de Dios y de sus ángeles, en sus mociones, dar verdadera alegría y gozo espiritual, quitando toda tristeza y turbación, a las que el enemigo induce; del cual es propio guerrear contra esa alegría y consolación espiritual, trayendo razones aparentes, sutilezas y continuos engaños.

330 **2ª regla.** La segunda: sólo es de Dios nuestro Señor dar consolación al alma sin causa precedente, porque es propio del Creador entrar, salir, hacer moción en ella, elevándola toda en amor de su divina majestad. "Sin causa" quiere decir sin ningún previo sentimiento o conocimiento

de algún objeto por el que venga esa consolación mediante sus actos de entendimiento y voluntad.

331 **3ª regla.** La tercera: "con causa" puede consolar al alma así el ángel bueno como el malo por fines contrarios: el ángel bueno para provecho del alma, para que crezca y suba de bien en mejor; y el ángel malo para lo contrario, y posteriormente para traerla a su dañina intención y malicia.

332 **4ª regla.** La cuarta: es propio del ángel malo, que se disfraza de ángel de luz, entrar con lo que le gusta al alma devota y salir con el mal que él pretende; es a saber, traer pensamientos buenos y santos conforme a esa alma justa, y después, poco a poco, procura salirse con la suya, trayendo al alma a sus engaños cubiertos y perversas intenciones.

333 **5ª regla.** La quinta: debemos advertir mucho el curso de los pensamientos; y si al principio, medio y fin todo es bueno, inclinado a todo bien, es señal de ángel bueno; pero si en el curso de los pensamientos que trae acaba en alguna cosa mala o distractiva, o menos buena que la que antes el alma había propuesto, o la debilita, inquieta o conturba, quitándole la paz, tranquilidad y quietud que antes tenía, es clara señal de que procede del mal espíritu, enemigo de nuestro provecho y salvación eterna.

334 6ª **regla**. La sexta: cuando el enemigo de naturaleza humana fuere sentido y conocido por su cola serpentina y el mal fin a que induce, aprovecha a la persona que fue tentada por él, mirar luego el curso de pensamientos que le trajo, y el principio de ellos, y cómo poco a poco procuró hacerla descender de la suavidad y gozo espiritual en que estaba, hasta traerla a su intención pervertida, para que, sacando experiencia de este conocimiento, en adelante se guarde de sus engaños acostumbrados.

335 7ª **regla**. La séptima: a los que proceden de bien en mejor, el ángel bueno toca al alma dulce, leve y suavemente, como gota de agua que entra en una esponja; y el ángel malo toca agudamente y con ruido e inquietud, como cuando la gota de agua cae sobre piedra. A los que proceden de mal en peor, los dichos espíritus tocan de modo contrario; la causa de esto es que la disposición del alma es contraria o semejante a los dichos espíritus. Porque cuando es contraria entran con estrépito, sensible y perceptiblemente; y

cuando es semejante entran con silencio, como en propia casa a puerta abierta.

336 **8ª regla.** La octava: cuando la consolación es "sin causa", aunque en ella no haya engaño por ser de Dios nuestro Señor sólo, como está dicho, sin embargo, la persona espiritual, a quien Dios da esa consolación debe mirar con mucha vigilancia y atención dicha consolación, y discernir el tiempo propio de la actual consolación, del tiempo siguiente en que la alma queda caliente con el fervor y favorecida con los efectos que deja la consolación pasada; porque muchas veces en este segundo tiempo por su propio discurrir relacionando de los conceptos y deduciendo consecuencias de sus juicios, o por el buen espíritu o por el malo, forma diversos propósitos y pareceres, que no son dados inmediatamente de Dios nuestro Señor; y por tanto hay que examinarlos muy bien antes de darles entero crédito o ponerlos por obra.

337 EN EL MINISTERIO DE DISTRIBUIR LIMOSNAS SE DEBEN GUARDAR LAS SIGUIENTES REGLAS.

338 **1ª regla.** La primera: si yo hago la distribución a parientes o amigos o a personas a quienes tenga

afecto, tendré que fijarme en cuatro cosas, de las cuales se ha hablado ya en parte en la materia de elección. La primera es que aquel amor que me mueve y me hace dar la limosna, descienda de arriba, del amor de Dios nuestro Señor; de forma que sienta primero en mí que el amor mayor o menor que tengo a las tales personas es por Dios, y que en la causa por la que más las amo reluzca Dios.

339 **2ª regla**. La segunda: mirar a un hombre que nunca he visto ni conocido; y deseándole yo toda perfección en el ministerio y estado que tiene, como yo querría que él siguiese una medida en su manera de distribuir, para mayor gloria de Dios nuestro Señor y mayor perfección de su alma, hacerlo yo así, ni más ni menos, guardando la regla y medida que para el otro querría y juzgo válida.

340 **3ª regla**. La tercera: considerar, como si estuviera en el artículo de la muerte, la forma y medida que entonces querría haber tenido en el oficio de mi administración; y reglándome por aquella medida, proponer guardarla al distribuir limosnas.

341 **4ª regla**. La cuarta: mirando cómo me hallaré el día del juicio, pensar bien cómo entonces querría

haber usado de este oficio de administrar y este cargo de distribuir limosnas por el ministerio que tengo; y la norma que entonces querría haber tenido, tenerla ahora.

342 **5ª regla**. La quinta: cuando alguna persona siente inclinación y afecto a algunas personas, a las cuales quiere distribuir limosnas, deténgase a considerar bien las cuatro reglas precedentes, examinando y probando su afección para con ellas; y no dé la limosna, hasta que conforme a esas reglas tenga del todo quitada y apartada su afección desordenada.

343 **6ª regla**. La sexta: aunque no hay culpa en tomar bienes de Dios nuestro Señor para distribuirlos, cuando la persona es llamada por Dios nuestro Señor para ese ministerio; sin embargo, en el cuánto ha de tomar para administrar y distribuir, y en la cantidad que ha de aplicar para sí mismo de lo que tiene para dar a otros, hay lugar a duda de culpa y exceso. Por tanto, puede hacer la reforma de su vida y estado por las reglas sobredichas.

344 **7ª regla**. La séptima: por las razones ya dichas y por otras muchas, siempre es mejor y más seguro en lo que toca al trato de su persona y número

de servidumbre cercenar y disminuir cuanto se pueda, y acercarse lo más posible a nuestro sumo pontífice, dechado y regla nuestra, que es Cristo nuestro Señor. Conforme a lo cual el tercer concilio cartaginense (en el cual estuvo San Agustín) determina y manda que el ajuar del obispo sea vil y pobre. Lo mismo se debe considerar en todos los modos de vida, mirando la condición social y la justa proporción, según el estado de vida de las personas. Como entre casados tenemos el ejemplo de San Joaquín y de Santa Ana, los cuales partiendo su hacienda en tres partes, daban la primera a pobres, la segunda al ministerio y servicio del templo, la tercera tomaban para el sustento de ellos y de su familia.

345 PARA ADVERTIR Y ENTENDER LOS ESCRÚPULOS E INSINUACIONES DE NUESTRO ENEMIGO AYUDAN LAS NOTAS SIGUIENTES.

346 **1ª nota.** La primera: llaman vulgarmente escrúpulo al que procede de nuestro propio juicio libre, es a saber, cuando yo libremente juzgo que es pecado lo que no es pecado; así como sucede que algu o después que ha pisado una cruz de

paja casualmente piensa con su propio juicio que ha pecado; y éste, propiamente, es juicio erróneo y no verdadero escrúpulo.

347 **2ª nota.** La segunda: después de que yo he pisado aquella cruz, o después de que he pensado o dicho o hecho alguna otra cosa, me viene un pensamiento de fuera: "he pecado"; y por otra parte me parece que no he pecado, no obstante, siento en esto turbación; es a saber, en cuanto dudo y en cuanto no dudo; el así descrito es escrúpulo propiamente dicho y tentación que pone el enemigo.

348 **3ª nota.** La tercera: el primer escrúpulo (de la nota primera) hay que aborrecerlo mucho porque todo él es error; pero el segundo (el de la nota segunda) por algún espacio de tiempo no poco aprovecha al alma que se da a ejercicios espirituales; antes bien en gran manera purifica y limpia a dicha alma separándola mucho de toda lo que se parezca a pecado, según aquello de San Gregorio: "De almas buenas es ver culpa donde no hay culpa ninguna."

349 **4ª nota.** La cuarta: el enemigo mira mucho si una alma es ancha o delicada de conciencia; y si es delicada procura afinarla más, pero ya ex-

tremosamente, para turbarla más y arruinarla; por ejemplo, si ve que un alma no admite en sí pecado mortal ni venial, ni cosa alguna que se parezca a pecado deliberado, entonces el enemigo, cuando no puede hacerla caer en cosa que parezca pecado, procura hacerla pensar que hay pecado donde no lo hay, así como en una palabra o pensamiento mínimo; si la alma es de conciencia ancha, el enemigo procura de ensanchársela más; por ejemplo, si antes no hacía caso de los pecados veniales, procurará que haga poco caso de los mortales, y si antes hacía algún caso, que ahora haga mucho menos caso o ninguno.

350 **5ª nota.** La quinta: el alma que desea aprovecharse en la vida espiritual, siempre debe proceder de modo contrario a como procede el enemigo, es a saber, si el enemigo quiere ensanchar la conciencia, procure afinarla; asimismo si el enemigo procura afinarla para llevarla al otro extremo, el alma procure consolidarse en el medio, para aquietarse en todo.

351 **6ª nota.** La sexta: cuando dicha alma buena quiere hablar u obrar alguna cosa dentro de lo enseñado por la Iglesia, dentro de lo que han

entendido como bueno nuestros mayores, que sea en gloria de Dios nuestro Señor, y le viene un pensamiento o tentación de fuera para que ni hable ni haga aquella cosa, trayéndole razones aparentes de vanagloria o de otra cosa, etc.; entonces debe alzar el entendimiento a su Creador y Señor; y si ve que es su debido servicio, o a lo menos no contra, debe hacer lo diametralmente opuesto a esa tentación: "Ni por ti empecé ni por ti acabaré."

352 PARA EL SENTIDO VERDADERO QUE DEBEMOS TENER EN LA IGLESIA MILITANTE, SE OBSERVEN LAS SIGUIENTES REGLAS.

353 **1ª regla.** La primera: depuesto todo juicio, debemos tener ánimo preparado y pronto para obedecer en todo a la verdadera esposa de Cristo nuestro Señor, que es nuestra Santa madre Iglesia Jerárquica.

354 **2ª regla.** La segunda: alabar la confesión con sacerdote y el recibir el santísimo Sacramento una vez al año, y mucho más cada mes, y mucho mejor de ocho en ocho días, con las condiciones requeridas y debidas.

355 **3ª regla.** La tercera: alabar el oír misa a menudo; asimismo alabar cantos, salmos y largas oraciones en la Iglesia y fuera de ella; también los oficios divinos celebrados en el tiempo establecido; y toques de oración a horas fijas; y alabar todas las horas canónicas.

356 **4ª regla.** La cuarta: alabar mucho el estado religioso, la virginidad, la continencia; y no alabar tanto el matrimonio como estas cosas.

357 **5ª regla.** La quinta: alabar los votos religiosos, de obediencia, de pobreza, de castidad y de otras perfecciones de supererogación; y es de advertir que, como el voto es sobre las cosas que se relacionan con la perfección evangélica, no debe hacerse voto en las cosas que se alejan de ella, como ser comerciante, casarse, etc.

358 **6ª regla.** La sexta: alabar reliquias de santos, haciendo veneración a ellas y oración a ellos. Alabar estaciones, peregrinaciones, indulgencias, perdones, cruzadas y candelas encendidas en las iglesias.

359 **7ª regla.** La séptima: alabar preceptos acerca de ayunos y abstinencias, así como cuaresmas, cuatro témporas, vigilias, viernes y sábados;

asimismo penitencias no solamente internas, sino también externas.

360 **8ª regla**. La octava: alabar ornamentos y edificios de iglesias; asimismo imágenes, y venerarlas según lo que representan.

361 **9ª regla**. La novena: alabar, finalmente, todos los preceptos de la Iglesia, teniendo ánimo pronto para buscar razones en su defensa y en ninguna manera para impugnarlos.

362 **10ª regla**. La décima: debemos estar más dispuestos a aprobar y alabar constituciones, recomendaciones, como igualmente costumbres de nuestros mayores; porque aunque algunas no sean o no fuesen válidas, hablar contra ellas predicando en público, o hablando delante del pueblo sencillo, engendraría más murmuración y escándalo que provecho; y así se indignaría el pueblo contra sus superiores, temporales o espirituales. De manera que, así como hace daño el hablar mal de los mayores en su ausencia a la gente sencilla, así puede hacer provecho hablar de las malas costumbres a esos mismos superiores que pueden remediarlas.

363 **11ª regla**. La undécima: alabar la doctrina positiva y la doctrina escolástica; porque así como es más propio de los doctores positivos (como de San Jerónimo, San Agustín, San Gregorio, etc.) el mover los afectos para amar y servir en todo a Dios nuestro Señor; así es más propio de los escolásticos (como de Santo Tomás, San Buenaventura y el Maestro de las sentencias, etc.) el definir o declarar para nuestros tiempos las cosas necesarias a la salvación eterna y para más impugnar y declarar más todos los errores y todos los engaños. Porque los doctores escolásticos, como son más modernos, no solamente se aprovechan de la verdadera inteligencia de la Sagrada Escritura y de los santos doctores positivos que también, por estar iluminados y esclarecidos por la virtud divina, utilizan los concilios, cánones y constituciones de nuestra santa madre Iglesia.

364 **12ª regla.** La duodécima: debemos guardarnos de hacer comparaciones de los que estamos vivos con los santos del pasado, porque no poco se yerra en esto, es a saber, en decir: éste sabe más que San Agustín, es otro o más que San Francisco, es otro San Pablo en bondad, santidad, etc.

365 **13ª regla.** La decimotercera: debemos siempre tener este principio para acertar en todo: lo que

yo veo blanco, creer que es negro si la Iglesia Jerárquica así lo determina; creyendo que entre Cristo nuestro Señor, esposo, y la Iglesia su esposa, es el mismo espíritu el que nos gobierna y rige para la salud de nuestras almas, porque por el mismo Espíritu y Señor nuestro que dio los diez Mandamientos, es regida y gobernada nuestra santa madre Iglesia.

366 **14ª regla**. La decimocuarta: aunque es muy verdadero que ninguno se puede salvar sin estar predestinado y sin tener fe y gracia, hay que tener mucho cuidado en el modo de hablar y comunicar todas estas cosas.

367 **15ª regla**. La decimoquinta: de modo habitual no debemos hablar mucho de la predestinación; pero, si de alguna manera y algunas veces se hablare, háblese de tal forma que el pueblo sencillo no caiga en ningún error, como suele algunas veces, cuando dice: "Ya está determinado si he de salvarme o condenarme, y por hacer yo bien o mal ya no puede ser otra cosa." Y con este pensamiento, haciéndose perezosos, se descuidan en las obras que conducen a la salud y provecho espiritual de sus almas.

368 **16ª regla.** La decimosexta: de la misma forma hay que tener cuidado de que por mucho hablar de la fe y con mucha fogosidad, sin alguna distinción y aclaración alguna, no se dé ocasión al pueblo para que sea tardo y perezoso en el obrar, tanto antes que la fe esté informada por la caridad como después.

369 **17ª regla.** La decimoséptima: asimismo, no debemos hablar de la gracia tan largo y con tanta insistencia que se engendre veneno para negar la libertad. De manera que de la fe y gracia se puede hablar cuanto sea posible mediante el auxilio divino, para mayor alabanza de su divina majestad, pero no por tal suerte ni de tal manera, mayormente en nuestros tiempos tan peligrosos, que las obras y libre albedrío reciban detrimento alguno o se tengan por nada.

370 **18ª regla.** La decimoctava: aunque se ha de estimar sobre todo el servir mucho a Dios nuestro Señor por puro amor, debemos alabar mucho el temor de su divina majestad; porque no solamente el temor filial es cosa piadosa y santísima, sino que también el temor servil ayuda mucho para salir del pecado mortal cuando el hombre no alcanza otra cosa mejor o más útil; y una vez

que el hombre ha salido del pecado, fácilmente llega al temor filial, que es todo él acepto y grato a Dios nuestro Señor, por ser uno con el amor divino.

FIN

Índice

Colección
Clásicos de Espiritualidad

Historia de un alma

Teresita de Lisieux

La conocida autobiografía de la patrona
de las misiones en la que podremos recorrer
de su mano el camino de santidad
que nos propone con sus palabras
y con su ejemplo.

Este libro se terminó de imprimir, en el mes de septiembre de 2009,
en Mitre & Salvay, Heredia 2952, Sarandí, Provincia de Buenos Aires,
República Argentina.